新潮新書

兼原信克　髙見澤將林 編
KANEHARA Nobukatsu　TAKAMIZAWA Nobushige

国家の総力

JN018398

1047

新潮社

はじめに

2021年4月、菅義偉総理とバイデン大統領の日米首脳会談の議題に、台湾海峡が取り上げられた。1969年の佐藤栄作総理とニクソン大統領の首脳会談以来、半世紀ぶりのことである。

中国の急激な台頭は、米中大国間競争時代の幕を開けた。人民解放軍は東アジアで米軍を凌駕する能力を持ち、中国経済の規模は日本経済の4倍の大きさとなり、米国の背丈に迫っている。自信を深めた中国は自由主義社会に背を向け、香港を強権で弾圧し、台湾併合の野望も隠さない。

台湾有事の衝撃は、日本人の想像を遥かに超えるだろう。台湾有事となれば、台湾の軍事基地と重要インフラは破壊される。米国の同盟国であり米軍展開の前線国家となる日本とフィリピンも同じ被害を受ける可能性が高い。国民の被る損害は計り知れない。

それを起こさせないため、そして不幸にして有事が起こってしまっても国民への被害を最小限にして勝利するため、政府は総力を挙げて準備をしておく必要がある。本書を共に企画した畏友、高見澤將林元国家安全保障局次長の言葉を借りれば、「総力安全保障」が必要なのである。

総力戦において重要なのは、外交（D）、情報（I）、軍事（M）、経済（E）のあらゆる面（米国ではこれを「DIME」と呼ぶ）で国力の全てを総合的に活用し、可能であれば戦わずして勝ち、万が一戦いになっても必ず勝てる体制を作り上げることである。それは、孫子の「彼を知り己を知れば百戦殆《あやう》からず」「百戦百勝は善の善なる者に非ず」という教えにも通じる、国家安全保障戦略の黄金律である。

21世紀前半の日本外交の最大の課題は、巨大化した中国を前に、台湾海峡の現状を維持し、平和と安定を保つことである。

有事に備えた軍事的なシナリオや、日米同盟、自衛隊の準備の必要性については近年、だいぶ認識が深まってきた。私自身、これまで自衛隊の元将官などの専門家たちと議論を交わし、その成果を世に問うてきた（『自衛隊最高幹部が語る令和の国防』『自衛隊最高幹部が語る台湾有事』『核兵器について、本音で話そう』〔いずれも新潮新書〕、『国難に立ち向かう新国防論』

〔ビジネス社〕など)。しかし、政府が検討の俎上に載せていない課題、総力戦を想定するなら議論しておくべき課題は、まだ沢山ある。そこで本書では、そうした残された課題について、4章にわけて論じてみた。

第1章はエネルギー安保と食料安保である。台湾有事になれば、台湾周辺だけではなく東シナ海、南シナ海、さらには小笠原諸島以西の北太平洋も戦闘海域となり、船舶保険が付保されなくなる。政府が保険をカバーするとしても、航路は小笠原諸島東部を回る大迂回路となり、数千キロの大回りを余儀なくされる。船舶数は逼迫し、運賃は高騰するだろう。日本はエネルギー自給率も食料自給率も低い。ガソリン代も食品代も建設資材の代金も高騰する。

また、石油の戦略備蓄は、官民で半年持ちこたえられる量を蓄えているが、タンクが攻撃されたらどうなるのか。日本経済を回すには、20万トンタンカーが毎日2〜3隻必要になる。小笠原沖を迂回中のタンカーが中国潜水艦に1隻でも攻撃されたらその航路は使えなくなり、更なる大回りを強いられることになる。今でもイエメン沖のフーシ派の攻撃で、多くの商船がスエズ運河経由の最短航路を避けて、遠路はるばる喜望峰に向かっている。

島国の日本にとってエネルギー安全保障も食料安全保障も、結局はシーレーンの安全問題に帰結する。海上自衛隊と海上保安庁の連携、迂回路の研究、商船会社や全日本海員組合と政府の関係等、シーレーンに関する論点は多い。第2章は、そのシーレーン防衛について語り合った。

台湾有事になれば、日本の自衛隊基地、米軍基地は、中国のミサイル攻撃によって破壊されるであろう。すると米軍や自衛隊は、日本の民間空港や港湾を使用することにならざるを得ない。自衛隊・米軍による電波の優先使用も必要になるし、サイバー防衛強化も課題となる。第3章では、そうした自衛隊や米軍による「特定公共施設等」の使用問題を論じてみた。

最後の第4章では、為替、金融、貿易への影響を取り上げた。GDP世界第1位の米国、第2位の中国、第3位の日本（注　2024年2月20日現在、円安の影響で第4位）、そしてG20サイズの台湾を巻き込んだ武力紛争は、経済的にも巨大な衝撃となる。実際には、武力紛争が始まる前から大規模な経済制裁の打ち合いになるだろう。中国は、日本が依存しているレアアースなどの希少鉱物資源の輸出を全面的にストップし、日本の対中主力輸出製品に高関税をかける可能性が高い。逆に米国をはじめとする西側諸国は、中国をドル決済システム（SWIFT）から締め出すかもしれない。

　武力紛争が始まれば、中国は台湾を海上封鎖する。これに対抗して、米海軍が対中大陸封鎖をかけて、タンカーなどのエネルギー資源運搬船の通航を拒否するかもしれない。そうなると対中貿易関係は途絶する。中国の西側諸国の財産は没収され、西側諸国の中国財産も没収される。日本政府もまた、戦費調達と戦後復興のために1000兆円単位の財政出動をせねばならなくなるであろう。

　しかし、国債の増発にも限界がある。影響はまず、為替と株価に出るであろう。円は暴落し、株価も暴落する。有事の際の極端な円安を支える力は日本の通貨当局にはない。国際協調が必要になる。東京証券取引所は閉鎖されかねない……。そうした、さまざまな状況を想定して議論した。

　本書は、国家安全保障局次長を務めた私と高見澤將林氏がホスト役となり、すでに政府を退官された各省庁（経済産業省、農林水産省、国土交通省、総務省、財務省、海上自衛隊、海上保安庁）の最高幹部の方々を毎回2名お招きし、政府を離れた自由な立場から議論して頂いた記録である。中には突拍子もないと感じられる予想、スキャンダラスに思える想定もあるかもしれないが、読者諸兄には、近年まで各政府機関で最高レベルの重責を担った方たちの思考の一端を追体験して頂ければ幸いである。なお、それぞれの発言は、あくまでも個人の意見であり、所属する機関を代表するものではないことを申し添えておく。

座談会は東京・神楽坂の新潮社で数回に分けて行われた。本書の出版に当たっては、新潮新書編集部の横手大輔氏に大変お世話になった。同氏のご尽力なくして本書が世に出ることはなかった。この場を借りて深く御礼申し上げたい。

令和6年5月

元国家安全保障局次長　兼原信克

国家の総力——目次

強い円がエネルギーセキュリティになる
人民元決済が広まらない理由
メガバンクの過剰なリスク回避行動
独裁者の意思は経済では止められない
内閣官房に各省のリエゾンを
経済官庁も自衛隊と交流を

第1章　エネルギー安保と食料安保（豊田正和、末松広行）

兼原　お集まりいただきましてありがとうございます。髙見澤さんと私は、総理官邸で一緒に働いている頃から、国家安全保障局次長という職責上、一貫して安全保障の議論をやっておりまして、髙見澤さんは「総力安全保障」、私は端的に「21世紀の総力戦」と言っていますが、有事に国家の総力を挙げて国家、国民を守るにはどうすればよいのか、そのためには日本政府全体をどう機能させればよいのかという問題をずっと考えてきました。

軍事的な議論はこれまでも随分とやってきたのですが、実際に台湾有事となったら、日本だけではなく東アジアは経済的にも壊滅的な状況になります。その時に自衛隊が機能するのかという議論はもちろん大事ですが、有事を想定するならば、そもそもエネルギーの安定供給が続くのか、十分な食料の供給はあるのか、円の為替レートは暴落しな

兼原信克（かねはら・のぶかつ）
1959年山口県生まれ。同志社大学特別客員教授、笹川平和財団常務理事。東京大学法学部卒業後、81年に外務省入省。フランス国立行政学院（ＥＮＡ）で研修の後、ブリュッセル、ニューヨーク、ワシントン、ソウルなどで在外勤務。2012年、外務省国際法局長から内閣官房副長官補（外政担当）に転じる。14年から新設の国家安全保障局次長も兼務。19年に退官。著書に『歴史の教訓』『日本人のための安全保障入門』など。

いのか、対中貿易が途絶するような状況で日本企業は持つのか、東京証券市場は機能しているのか、そもそも日本政府の財政が持つのか、といった様々な経済問題も考えておかなければなりません。

そこで、純粋な軍事作戦面を離れて銃後の問題について、日本政府で重責を担われ豊かな経験をお持ちの各省庁幹部の方々をお招きして一緒に考えてみようじゃないか、というのが今回の座談会シリーズの企画趣旨です。

全体は4章で、最初が今日お願いするエネルギー安保と食料安保です。次章がシーレーン。日本は島国ですから、エネルギー安保と食料安保の問題は、シーレーン防衛の問題に直結します。第3章は、有事における特定公共施設の管理と使用です。有事に際しては自衛隊や米軍による民間の港湾、空港、道路、鉄道、そして電波の利用が必要になります。最後の第4章が金融と貿易です。

今日は、まずエネルギーと食料を有事にどう確保するのかという観点から、経産省で経済産業審議官を務められた豊田正和さんと、農水省で次官を務められた末松広行さんにお話を伺いたいと思います。

髙見澤　若干補足しますと、「総力安全保障」という言葉を強調しているのは、昔の「総合安全保障」、あるいは今の国家安全保障戦略で言う「総合的な防衛体制の整備」という表現と区別するためです。昔の防衛論議は、敵はそんなに攻めてこないだろうし、冷戦が熱戦になったら米軍がいるだろうということで、いわゆる防衛力をどう整備するかが中心でした。それが現在、エネルギー安保とか食料安保まで含めて、総合安全保障がファッショナブルになったので、「安全保障」と名のつく言葉がどんどん増えてきている。
過去を振り返ってみると、経済安全保障と言えばエネルギー安全保障だというように単純に考えられていた時期があります。それが最初のフェーズですが、次のフェーズでは、日本の安全を保つためには経済力とか自給率も大事であるということで、国としての総合力をつけなきゃいけないという議論があった。最近では、ロシアのウクライナ侵略もそうですが、戦場がサイバー空間にまで拡がっていて、すべての問題が安全保障化しています。そうした面も含めて総合力を上げなければいけないという話になっていきます。

中国は軍民融合を国策として公然と掲げていますから、すべてが一体となってやってくる。一方でアメリカは、Economic security is national security.（経済安全保障は国家安全保障である）というようなことになってきている。そうした状況もあって、日本も2013年の国家安全保障戦略の時には、エネルギーとかサイバーについても安全保障の観点から考慮すべきである、ということを特記しました。それが2022年の国家安全保障戦略ではもっと広がり、しかも新たな形の経済安全保障が必要になってきたので、国家安全保障会議の所掌事務に経済政策に関するものが入ってきました。そういう変化がある中で、食料安全保障やエネルギー安全保障はどう考えるべきなのか。

エドワード・ルトワックが最近、エネルギーは中国の制約にはならないと言っています。有事になっても石炭があるし、いざという時は生産そのものが減り、エネルギー消費も減るから何とかなる。だけど食料はそうはいかないから、それが中国の大きな戦略的制約になるというわけです。ところが、最近中国は食料安保を非常に重視しているよ

高見澤將林（たかみざわ・のぶしげ）
1955年生まれ。長野県出身。東京大学公共政策大学院客員教授。78年に東京大学法学部を卒業後、防衛庁（現・防衛省）に入庁。防衛局防衛政策課長、運用企画局長、防衛政策局長、防衛研究所長などを歴任。2013年に内閣官房副長官補。14年から新設の国家安全保障局次長、15年から内閣サイバーセキュリティセンター長を兼務。16年に退官後、ジュネーブ軍縮会議日本政府代表部大使に就任。

うで、一部の学者は「それは中国が台湾統一に真剣な証拠である」と言っている。そうした観点も踏まえておく必要があるかもしれません。

いずれにしても、こうした問題を体系的に安全保障という文脈で議論することはあまりないので、皆さんの率直なご意見を聞かせて頂ければ幸いです。

エネルギー安保に必要な「バランス」

兼原　それじゃあエネルギー安保からということで、まず豊田さんからお話をいただいてよろしいでしょうか。
豊田　どういう整理をするかにもよりますが、1973年の石油危機以降のこの50年くらいを見ると、三つの時代に分かれるように思います。
まず第一に、石油危機直後からの20年間くらいは、エネルギーの確保が強く意識されていました。それが90年代くらいから気候変動が強く意識されるようになって、エネルギー安全保障の観点が忘れられがちになった。これが第二段階。実は日本は石油危機の記憶が残っている人たちが多いので、欧米とはだいぶ雰囲気が違います。そういう意味で、気候変動への対応が生温いのではないかと、日本は何となく欧米から批判されている感じがあったのですが、第三にウクライナ危機があって、気候変動一色だったヨーロッパも石油価格、ガス価格の高騰に直面して、エネルギー安全保障のことを思い出した。今は「両方必要」という時代になってきたと思います。

お二人のお話を聞いていて思いましたのは、やはりアメリカの力が弱まっている、ということです。アメリカが今でも圧倒的に強いままなら、総力安全保障的なものをあんまり考えないでいいのかもしれない、まさに武力の問題だけで済んでいた。しかし、もうアメリカは日本を守り切れない、食料もエネルギーも自分たちで安定的確保を考えないといけない時代になってしまった。国連もＷＴＯ（世界貿易機関）も十分にワークしていないし、他人に頼ってはいられない。そういう大きな流れがあるという気がしています。

それではどうするかですが、エネルギーについてはバランスがキーワードだと思います。再生可能エネルギーだけでは不十分、原子力も不十分、化石燃料も不十分。新しいエネルギーの開発も必要。安全保障（Energy Security）、経済成長（Economy）、環境適合性（Environment）という、三つの「E」という観点から見ると完璧なエネルギーは存在しない。この4種のエネルギーをうまくバランスさせるしかないという気がしています。

再エネは相当増えてきましたが、残念ながら日本の場合、ソーラーパネル用の土地がなくなってきた。日本は、面積が小さいうえに、山がちの国です。平地面積当たりの太陽光の導入量は既に世界一の密度、2位であるドイツの倍の密度となっています。メガソーラーについては反対運動まで出てきて、いくつかの地方公共団体はむしろ規制を始めています。だから、最近では、政策的には太陽光よりも風力に力を入れてきていますが、日本の場合、陸上風力には限界がある。そこで洋上風力を一生懸命支援しているのですが、海が深いゆえに、着床式でなく浮体式になり、意外とコストがかかる。一生懸命やっていただきたいとは思いますが、限界は認識せざるを得ない。

化石燃料は、もちろんトランジション（ゼロカーボンへの移行期）の間は当然使うべきですが、トランジションが終わっても、CCS（二酸化炭素回収・貯留）によって脱炭素化して使わないといけない国が、アジアには相当ある。日本もおそらくその一つだと思います。脱炭素化というと、4番目の新しいエネルギーにも繋がっていって、例えば水素・アンモニアみたいなものをエネルギー源として考えるという流れになる。水素は化石燃料からもCCSを使い、再エネからも水の電気分解により、原子力からも高温熱分解などで製造できる。加えてＥＶの議論でも出てくるクリティカルミネラルみたいなものも重要となってきている。この４種類（再生可能エネルギー、原子力、化石燃料、新しいエネルギー）をうまくバランスさせながら使っていくしかないと思います。

ただ、地政学的な不安定さは残るので、いくつかの同盟国ないしは like-minded country（志を同じくする国）で協力をしながらやっていく。ＩＰＥＦ（インド太平洋経済枠組

豊田正和（とよだ・まさかず）

1949年生まれ。一般財団法人国際経済交流財団会長。73年に東京大学法学部を卒業後、通商産業省（現・経済産業省）に入省。大臣官房総務課長、通商政策局国際経済部長、製造産業局次長、商務情報政策局長、通商政策局長、経済産業審議官などを歴任。2008年に退官後、内閣官房宇宙開発戦略本部事務局長を経て、一般財団法人日本エネルギー経済研究所理事長に就任。21年7月より現職。

ないでしょうか。

み）は、その一つの枠組みですけれども、そこからもっと広げていく必要があるのでは

それから、重要なのはやっぱり中東です。いま日本の石油の95％が中東から輸入されています。石油危機の時は75％程度だったので、実は、安定供給という点から見て、脆弱性は増しているとも言えます。もちろん、当時と比べて、一次エネルギーに占める石油の比率が、36％程度に半減しているのは朗報ですが、安心してはいられません。だから中東外交はこれまで以上に強化する必要があるだろうと思います。また、クリティカルミネラルということになると、中国への依存度が高いため、オーストラリア、カナダ、アフリカなどに分散化する必要がある。エネルギー外交はこれまで以上に重要になってくるでしょう。

その意味では、ＯＥＣＤ諸国を中心とするＩＥＡ（国際エネルギー機関）だけでは不十分で、アジアや途上国の声を代弁し補完する組織が必要な時代となりつつある気がします。インドのＩＥＡへの加盟交渉が進んでいるとの報道がありますが、大いに歓迎すべきと思います。

２０２３年12月に、アジア・ゼロエミッション共同体（ＡＺＥＣ）首脳会合において、

東アジア・アセアン経済研究センター（ERIA）に設立されたアジア・ゼロエミッション・センターが、「アジアの声」を発信するものとして期待されます。ちなみに同センターにおいては、「多様な道筋による、ネットゼロ」という共通目標の下、各国の脱炭素ロードマップの作成支援や制度整備の検討などを進めていくことになる。

また、アメリカは超大国ですが、最早、超・超大国ではないので、日本は自分でやるべきことは相当程度自分でやらなくてはいけない。エネルギーという観点から見ると、アメリカはシェール革命によってエネルギー輸出国になってきていますので、日本の苦しみをどこまで共有できるのか疑問なしとしない。第一次石油危機の時のエネルギー安全保障に、共に悩む日米関係ではない。そういう意味で、「総力安全保障」の観点からエネルギーも自分で守らなくてはいけないという気合が、これまで以上に必要になっているると思っています。

ますます難しくなる中東外交

兼原　いくつか仮定の質問をさせてください。例えば台湾有事が起きて、中国が日本を攻める場合でも、海路で日本に向かう原油は一応入ってくるとは思いますが、本当に大丈夫だろうかと思える点がいくつかあります。

日本は官民で半年分の石油を戦略備蓄していますが、そのタンクを全部ミサイル攻撃やサイバー攻撃でやられたとします。日本には、今でも毎日20万トンタンカーが2～3隻入っていますが、同時にこの20万トンタンカーが10隻、20隻という単位で沈められてしまうというようなことは起こりうる。海戦では、敵国の大洋の使用を拒否することが眼目になります。敵艦隊の殲滅とその根拠地の覆滅が第一目標になりますが、総力戦になってくれば長距離の海上封鎖がかかり、商船も撃沈されます。そうなるとシーレーン——シーレーンって、主要航路において数珠つなぎになっている日本関連船舶を指しているわけですから——が寸断されます。たとえ1隻でもタンカーが撃沈されて、敵の潜水艦がどこかにいるという情報が出回るだけで、その海域には商船は入れなくなる。

また、台湾有事の戦闘が始まれば、東シナ海や南シナ海では船舶保険が付かなくなり、船主は船舶の運用を拒否しますから、マラッカ海峡から南シナ海、バシー海峡という通常の航路は通れなくなり、ロンボク海峡を通ってスールー海で西太平洋に出て小笠原諸島の東側まで大回りして日本に戻ることになるのではないか。場合によっては、湾岸から原油を運ぶタンカーが豪州大陸の南極側を通ることになるかもしれない。迂回路は長大になりますから、余計に船の数が要る。船舶数は逼迫し、運賃は高騰します。韓国も同じ状況になる。70年代の石油ショックの再来になってしまうのではないか。ベトナムは南シナ海の奥で孤立します。

それから中国空軍の爆撃機や第二砲兵隊の弾道ミサイルが狙う目標が日本の発電所や変電所だった場合、電力をどう確保するのか。例えば、前線にいちばん近い沖縄電力は大丈夫か。ミサイルだけではなく、サイバーでやられる可能性もあるでしょう。そうなれば沖縄県全域が停電になる。それでは戦えません。

台湾有事が本格的にエスカレートすれば、アメリカも逆に中国に対して大陸封鎖をかけるかもしれません。中国政府は、中国船舶には自前の船舶保険を付けるでしょうから、日本の様に船舶保険の付保がないという問題はないかもしれませんが、米海軍が大陸封鎖をかけて中国のエネルギー関連船舶を中国の港に入れないということになれば、中国関連船舶も、東シナ海、南シナ海が通れなくなるでしょう。すると中国は、中東から原油が買えなくなって、ロシアや中央アジアから買うしかなくなる。

台湾有事には、中国関連船舶に対してマラッカ海峡も封鎖されるかもしれない。中国にすれば、ミャンマーからパイプラインで原油を入れることを考えるでしょうが、インド洋の海上優勢は米軍に握られています。チャオピュー等のミャンマーの港の外側で海路を米海軍に押さえられてしまえば同じことです。結局、中国はロシア、中央アジアからの原油だけで経済を回すことになる。そうなったら世界市場で油価はどうなるのか。跳ね上がるのか、下がるのか。それも考えておかなくちゃいけないんじゃないでしょうか。

高見澤　今、お二人にしていただいた話は、すごくよくわかります。エネルギー安全保障はただでさえ難しくなってきているのに、日本が直接絡むような地政学的なリスクも増大している。しかし、その地政学リスクを前提にしないで、エネルギー安全保障政策を立ててきた。

従来であれば、備蓄を増やしたいなら備蓄基地を作るということで、それが攻撃されるというようなことは基本的には想定しなかった。しかし、これからはそういう有事対応もセットで考えなければいけない。

兼原　豊田さんがおっしゃった中東外交の強化ですが、日本外務省のアラビア語スクールは、まさに70年代の石油危機で生まれたんです。上級職に毎年2人、必ずアラビア語専門を作ります。専門職にもアラビア語履修者が沢山います。彼らはすごく優秀ですが、湾岸からの原油の安定供給を確保することに重きを置いているので、湾岸諸国の反応を気にして、中東の紛争だとやっぱりパレスチナ寄りになる。

アメリカなどがやっているような、中東全体の力関係の戦略的安定を図るといった大国外交は、日本はあんまりやってこなかった。イスラエル対アラブの角逐くらいは意識していましたが、地域大国であるトルコやイランの関わりとか、その上にいるロシアとアメリカ、最近では中国も入ってきていますが、そうした大きな地政学的構図を意識することは、少なくとも前世紀の間は少なかったと思います。イランとは、米国とは一線を画して、日本は親しい関係を築いてきましたが、これも油を確保するためです。中東やインド洋に自衛隊が出るようになった後、日本外交もようやく中東の大きな戦略的構図を見るようになりました。

豊田さんがおっしゃったように、シェールガスが出たアメリカは、もう中東の油が要らない。石油危機の後に中東を担当する米中央軍が出来て、フロリダのタンパに基地を置きました。そこで中東全域の安全保障を見ているわけですが、中央軍の目的の中には「米国及び同盟国に対するエネルギーの安定的な供給」と書いてあります。この目的の中の「米国」が、もう落ちてしまっている。いまや中東への米国の関心は、イスラエルの安全を除けば、同盟国へのエネルギーの安定供給だけなんですよ。だから、どこまで真面目にやるのかという問題がある。

2020年のアブラハム合意は、アメリカが中東に興味を失って中東から米軍が引き上げた後でも、イスラエルとサウジアラビアなどスンニ派の湾岸諸国が仲良くすれば、イランも押さえられるだろうという見込みで結ばれました。エジプト、ヨルダンは前世紀の内にイスラエルと国交を結んでいますが、永年、米国の盟友でありながらスンニ派アラブの盟主を自認するサウジアラビアはそうではなかった。アブラハム合意は、トランプ政権下の業績です。バーレーンとアラブ首長国連邦はイスラエルと国交を開いた。後は、本家のサウジアラビアとイスラエルが国交を開けば、米国の中東外交の久しぶりのホームランになるはずでした。

それが今回、ハマスの大規模テロとガザ戦争で揺らいでいる。アメリカの中東戦略の大きな挫折です。逆にイランは、米国のイラン包囲作戦が崩壊したわけですから、ほくそ笑んでいるでしょう。中東では、アメリカというタガが外れてしまっています。

イランはイランでガザ戦争の火の粉を、レバノンのヒズボラや、イラクのシーア派民兵や、イエメンのフーシ派を使って撒き散らさせて、米国を悩ませています。フーシ派まで動員して紅海で第三国船舶を攻撃し始めたのは驚きでした。おかげで世界の商船は、スエズ運河が通れなくなり、喜望峰を回ってヨーロッパに向かっています。航路は3000キロ伸びて、航海日数は10日前後余計にかかります。当然、運賃を上げなくてはなりません。中東外交はますます難しくなっているというのが実態です。

有事に油価は必ず上がる

豊田　いくつか重要な点を指摘したいと思います。まず、この間のウクライナへのロシアの侵攻では、石油価格は、一時的にせよ倍になりました。ガスの価格は4～5倍です。だから、地政学的混乱があると、価格は必ず上がるのですよ。今回イスラエルとパレスチナの紛争はガザで一応地域的に抑制されていますが、イランやサウジが直接関与してくると量的制約が生じ、必ず価格は上がる。

私が、日本エネルギー経済研究所（以下、エネ研）におりました時に一回研究・調査したことがあるのですが、有事が発生して南シナ海、東シナ海を通れなくなると、遠回りをするので、石油の輸送に圧倒的に時間がかかることになります。兼原さんが指摘されるように、航路が長くなって、結果的に輸送船が足りなくなる、つまり量も足りなくなるんです。これが意外と深刻なんですね。少なくとも1カ月ぐらいは延びてしまう。

それから備蓄ですが、日本には今や、石油は200日を超える分があります。第一次石油危機の頃は40日くらいだったのと比べるとましですが、いずれにしても脆弱であることは確かです。備蓄という点から言えば、一番望ましいのは原子力です。ウラニウムを買って、日本に持ってきて、濃縮して、原子炉で焚いて燃やしてしまうまでに4年から5年かかります。結果的に4年から5年分の備蓄があることになる。そういう認識は、残念ながら国民になかなか浸透しませんが。もちろん原子力には、安全性への懸念があるのは事実です。しかし、エネルギーの安全保障への貢献度から見ると、「世界で一番厳しい」と言われる規制を踏まえつつも、欧米の規制も参考にしつつ、「安全性の確保」と「稼働率の向上」を両立させる「規制の最適化」をする段階に来ていると思います。

備蓄タンクに攻撃があったらどうするのかという問題は、率直に言って個別の会社では対応しきれない。それは、やはり国家として考えていただく必要があると思います。サイバーセキュリティについても同様です。

中東外交は本当に重要だと思います。ハマスというのは、サウジからもイランからも必ずしも好かれてはいないですが、かといってその両国がイスラエルに肩入れしているわけではない。中東の複雑な情勢はなかなか日本の一般人には分かりにくいので、プロをどんどん育てていただくことは、今まで以上に必要だと思います。

日本に何ができるかはエネ研の時から考えて、少しずつ実行しているのですが、結局彼らの経済を発展させるのをどう手伝うかを考えるのが一番良い。気候変動という観点から化石燃料が否定されていますから、彼らも必死です。エネ研で日本として何ができるかを考えて、化石燃料から水素、アンモニアを一緒に作りましょう、ＣＣＳで埋めたらカーボンニュートラルな燃料になります、ということを私は強く言ってきました。２０２０年に、アラムコとエネ研が、世界初のブルー・アンモニアの輸送・燃焼実験を行ったのもその一つです。ＵＡＥのカリファ大学とエネ研によるロボットなどの産業協力事業も同様の趣旨に基づくものです。そうした協力はこれまで以上にやっていく必要があります。

こうした産業協力というのは、当然ながら日本にもプラスです。例えばロボット技術を協力として差し上げるのみならず、一緒になって開発をするということもあります。

技術レベルの最も高い半導体の投資までできるかどうかは分かりませんが、産業協力で彼らの経済発展を支援するということが、日本の中東外交において非常に重要なポイントであると思います。サウジにしてもアブダビにしても2030年ビジョンを作っていますので、そういう目標に向かって一緒に実現していくことが重要です。

あと、末松さんのところにも関係するのですが、彼らは養殖にも関心があるんですよ。あそこも水温が上がっているからなのか、だんだん漁獲量が減っている。養殖の手伝いなど、日本が協力できる余地はあります。

彼らも、日本は決して嫌いではないので、アブダビなどは少なからぬ留学生を送ってきています。この留学生を暖かく見守ってやり、かつ彼らと手を組んで、若い人たちが新しい日・中東関係を作っていくことが重要なのかなと思います。

韓国は軍需産業と原子力を売り込めるが……

兼原　アメリカはシェールガスが出ちゃったので、中東原油への依存度が減り、むしろエネルギー輸出国となって、安全保障政策上の中東の地位がずいぶん下がった。国内政治上、イスラエルの守護神という立場は捨てられないので、米国は中東から足抜けは出来ませんが、戦略的焦点を中東から移して、将来の台湾有事と現下のプーチン大統領によるウクライナ侵略への対応に全力投球したい。それが本音だったと思います。なのにハマスが暴れ、イスラエルが大規模なハマス掃討に出て、大変な苦労をしている。

米露が中東から半分身を引いている間隙を突いて影響力を伸ばしているのがトルコとイランです。東欧・中東地域は、もともと広大なオスマン帝国の一部なので、トルコは、中東全域は本来自分のものだと思っています。イランは古代ペルシャ帝国の末裔ですから、言ってみれば中東の中国です。彼らにとってトルコは新参者の中央アジアの馬賊にすぎず、またサウジアラビアなどのベドウィンたちのことはバカにしていて、オレたちこそが地域の覇権を握るべきだ、と考えている。米国の後ろ盾が揺らいでいるサウジアラビアは、イランが怖いと思います。

トルコはグローバルサウスの一員で、エルドアン大統領の言動により時折、欧米諸国との間に軋轢が生じますが、れっきとしたNATO加盟国です。これに対して、イスラム革命以降、イランは明示的に反米の旗を掲げています。ガザ戦争に際しても、ハマスに連帯を表明し、南レバノンのヒズボラや、イラクのシーア派民兵や、イエメンのフーシ派を使って間接的に参戦し、米国を苦しめています。
これに対して、米国はトルコやサウジなどのスンニ派のアラブ諸国を固めて、イランに向き合っています。先に述べたアブラハム合意は、まさにイスラエルとサウジアラビアというスンニ派アラブの盟主をくっつけることによって反イラン枢軸をつくろうとしたものです。アメリカは、自分が中東から抜けるとサウジがイランにやられると思って、サウジとイスラエルをくっつけた。それなのに、そのアブラハム合意はハマスの大規模テロとその後のイスラエルの徹底したガザ掃討で、ほとんど動かなくなってしまった。

豊田　サウジにしてもイランにしても、ガザに直接手を出すことはないので、これまでのところ、事態は拡大せずに収まっていると思います。カタールが仲介して抑えていければいいと思いますが、サウジの今の懸念は石油価格がちょっと下がり過ぎているという点であり、減産をしようと主張しています。ただ、やっぱり予期せぬ事故が起きる可能性はあるので、そうすると、価格はいくらでも上がってしまう。意図的に上げるかどうかは別として、ちょっといたずらしてやれ、みたいなことにならないように、サウジともよく意見交換をする。私はイランとも意見交換を続けたほうがいいと思っています。

兼原　日本の国力で中東を仕切るのは難しいです。日本の中東外交はとにかく原油の供給を絶やさないことが基本なので、湾岸諸国が中心です。だから、どうしても「GCC（湾岸協力会議）プラス・イラン」なんです。米国の対イラン外交は明らかにアメリカと一線を画しています。米国の対イラン金融制裁は非常に厳しいものなので、イランから原油を買うと、その石油会社、そのメインバンクも、世界のドル決済の仕組みから締め出される。だからイラン制裁ではアメリカに付き合わざるをえないのですが、制裁がかかる前は、必ず米国より一歩前に出て対イラン外交をやってきました。

パレスチナ支援も一貫してやっています。但し、原理主義者のガザのハマスじゃなくて、ヨルダン川西岸の自治政府（PA）のほうです。イスラエルとパレスチナの共存構想がまだ息をしている間は、日本は、パレスチナ支援によって、イスラエルとスンニ派アラブ諸国の両方に恩を売ることができました。バランスのいい外交だったと思います。強硬派のネタニヤフ首相は、とてもパレスチナとの共存という雰囲気ではありませんが。

あとは難民支援ですね。石油が出なくて貧しいヨルダンには周辺から多くの難民がなだれ込んでいます。日本はヨルダンを財政的に支えてきました。ヨルダンは、サウジとは真逆で西欧化したアラブの国です。また、エジプトがキャンプデービッド合意（19

78年）でイスラエルと国交を開いた後、日本は米国の中東外交を後押しして、エジプトに大規模な経済支援を実施しました。日本も中東を安定させようとするアメリカの外交を、大規模なODAによって下支えしようとしていたんです。最近はめっきりODA予算も少なくなってきましたが。日本も経済大国を卒業し普通の大国になってきたので、米国とかロシアとか、イランとかトルコとか、域内の大国間関係に配慮しつつ、中東地域全体の権力関係に目配りして外交をしなければいけないと思います。

豊田　韓国のほうがうまく対応しています。原子力で成功していますから。UAEで3基稼働しており、4基目も起動準備中と聞いています。出力は、4基で6ギガワット弱になると聞いています。

兼原　韓国は、日本の様な敗戦国としての縛りがないので、軍需産業と原子力でどこでも突っ込めるんですよ。ただし、商業的利益を追いかけていて、地政学的な中東戦略があるとは思えません。私たちは、国内的な制約で軍需産業や原子力産業で中東市場に突っ込めないので、圧倒的に不利なんです。

豊田　サウジとの関係も、原子力についてはまだアメリカがイエスと言っていない。

兼原　原子力については核不拡散という全然違う次元の話が入ってきます。インド、パキスタンがＮＰＴ（核不拡散条約）体制の外側で核兵器を持ってしまった。イスラエルも間違いなく持っている。イランは寸止めにしていますが、ウラン濃縮の次は核兵器開発の野望がある。ですから、次はサウジが核武装するとみんな思っているわけです。イラン、サウジと核のドミノが起きるのは望ましくないので、日本がサウジに原子炉を出すと言ったら結構な騒ぎになると思います。

豊田　というふうにいつも聞いておりますけれども、中国が入っていくかもしれないし、韓国が入っていくかもしれない。韓国が入っていく可能性、相当強いと思うんですよ。

高見澤　みんなで安定した枠組みを作ろうと努力はするけれども、行ったり来たりになって長続きしないんですね。日本も最初の湾岸危機の時にエネルギーの中東依存度75％を減らそうよという議論をしていたのに、中東の原油が安くなると結局そっちになびいてしまい、構造転換が進まず、原油高になるとまた困っている。それの繰り返しです。

食料安全保障もエネルギー安全保障も一緒ですが、市場原理的なところで動かされている部分を国としてどう考えていくのか。市場価格の高低に一喜一憂し続けると割り切るのか、あるいは特定の調達先の依存度を低下させるべく目標を設定して努力するのか。その辺のマネージメントをするような覚悟がないと、結局は行ったり来たりで、気が付くとどんどん貯金が減っているみたいな感じにならないかなと思います。

エネルギー自給率を上げるなら原子力を

兼原　中東から原油を買うのは、安いからですよね。硫黄がいっぱい入った安い油を買ってきて脱硫して売る。それが儲かるので、日本の石油会社はみんな中東に行っちゃうわけですけど、経産省は、エネルギーの安定供給の立場から、原油供給先の多角化を戦略的に目指すという考え方で、「サハリン2」とか「サハリン3」等のプロジェクトに参加して、高くてもいいからロシアからも原油を入れろと言ってきました。ロシアの油は硫黄分が少ない上質な油で値段が高いのですが、それでもウクライナ戦争前はロシアから8%とか9%入っていたんですよね、天然ガスも原油も。

豊田　そうですよね。一生懸命増やしていましたから。

兼原　どうして高くてきれいな油をロシアからわざわざ買うのかというと、供給先を多角化しないと中東に何かあったら日本経済がおしまいになるからだ、ということですよね。だから三菱商事とか三井物産とか、ロシアに相当乱暴な扱いを受けてもサハリンの石油開発に一枚嚙み続けた。今回ウクライナ戦争でロシアが米国の制裁を食らってしまい、サハリンからの原油やLNGの輸送に船舶保険が付保されないという状況になった。それでも日本政府が介入して船舶保険をかけさせて必死に繋いだ。けれど深海石油掘削技術に優れたイギリスのシェルがサハリン油田開発から脱退しちゃったので、どれほど長続きするかわからないという話になっています。

私は、経産省の判断は、国として間違っていなかったと思います。ウクライナ戦争が終わっても制裁は解除されないかもしれませんが、自国のエネルギー安全保障上必要なことは、米国を説得してでもやらなくちゃいけないと思うんです。背に腹は代えられない。NATOのトルコも、インドも、ロシアの原油やガスを買い続けています。

以前、高見澤さんと一緒に仕事していた頃に、中国の石油などのエネルギー資源の対外依存度を部下に計算させたことがあるんですよ。そうしたら、さすがに安全保障に憑りつかれた習近平で、結構、多角化が進んでいた。カザフスタンとかトルクメニスタンなどにパイプラインが引いてあります。有事にはアメリカがマラッカ海峡を閉めてくるだろうと彼らは思っているので、そうした場合も想定して考えているのでしょう。習近平は、開放経済システムの中で相互依存を通じて繁栄するという発想が薄く、大東亜共栄圏を夢見た戦前の帝国軍人の様に自給経済の発想が強い。

豊田　一点、ちょっと誤解を招くといけないので、再度強調しておきますが、石油危機の時はそもそも石油依存度が高かったんですね。その上で中東依存度が高かった。今の日本は、エネルギー源としての石油依存が3分の2から3分の1ぐらいに減った上で、石油の中東依存度は増えているのです。

ガスは中東だけでなくオーストラリアもありますし、中東依存度は4割程度です。全体としてまだましなほうには向かっていると思います。さらに、これからのエネルギーはゼロカーボンじゃないといけないので、やっぱり原子力をいかに安全に使っていくかをもっと国民の方々と議論しながらやっていくしかない。そうじゃないと持たないと思いますね。再エネの限界は、ある程度物理的なものなので。

髙見澤　エネルギーに直接関わるものとしては、送電ロスやデバイスの話もありますよね。全固体電池ができれば化石燃料とか劇的に変わる可能性もあるわけですから、こうした技術的なこと、特にインフラ設計上の変革というところで、エネルギー効率の改善の余地はあるのでは。

豊田　私はあると思いますが、難しいのは、規制を導入しないとさらなる効率化は困難な水準まで来ていることです。

日本は省エネのいわば強制的規制がないんですよね。補助金など、省エネのエンカレッジメントはあるのです。ただヨーロッパは、電力会社に、顧客に対する省エネルギー指導を義務化するなどの規制を入れていますから、私はそろそろ、緩やかな規制は考えたほうがいいと思いますね。

一次エネルギー自体は、じわじわ減ってきています。経済発展するとともにエネルギー消費が増えるのは仕方ないですが、効率はよくなっているので減ってきている。ただ、大きな違いは電力比率が徐々に増えていることです。これからEVが増えるとすれば、もっと増えていって、おそらく一次エネルギーは減っても電力消費は増える。この間の資源エネルギー庁（以下、エネ庁）の第6次基本計画でも、今3割ぐらいの電力が3〜5割増しになる、とされています。だから電力をどうやって確保するのかという話は重要で、そういう意味でもやっぱり原子力は確保しておく必要があります。日本の原発54基がちゃんと動いていた頃は、日本のエネルギー自給率は2割を超えていた。福島の原発事故の後、自給率は6％強に低下し、原発が12基再稼働した今、再エネも増えたこともあって、13％強まで戻していますが、十分ではありません。

やっぱり自給率を上げるのは不可欠です。水素も注目されていますが、結局再エネ水素も日本の中で作ると高いからチリから輸入しましょうとか、化石燃料水素も中東やオーストラリアから買いましょうとなってしまいます。その意味で、エネルギー安全保障といった時に、安全性を確保したうえで、やはり原子力を無視はできない。

髙見澤　ただ、原子力についてエネルギー安保という観点からの議論はそれほどないですよね。原子力のほうが安い、というような議論だけに偏っている。

豊田　そもそも安全保障という概念を忘れているのですよね。温暖化が問題だ、だから再エネがいい、原子力がいい。安全性への懸念ゆえに原子力は安いと言わないと買ってくれない、みたいな感じになっています。

髙見澤　それに対しては、いや、実際は高いんだみたいな反論がされて。

豊田　そうですね、ただここも国民にご理解いただく必要があると思うんですけど、やっぱり全てを入れても安いという、その全てを入れてというのは、最後の廃棄物処理のところも含めてです。安いといっても相対的に安いということで、一番安いと言う必要はないと思うんです。そんなに再エネと変わらないんですよ。再エネのシステム・コスト（電力網の拡大＋低い稼働率を補うバックアップ・コスト）を加えると、原子力ははるかに低いと思います。

再エネの場合は、物理的な適地不足が問題点として出てきています。それでも、最大限増やしていくべきだと思います。技術開発はどんどんやっていただいて。今２０３０年にエネルギー自給率を30％まで高め（２０２１年度で約13％）、再生可能エネルギーを36～38％に、原子力を20～22％にする目標を掲げていますが、放っておくと実現しません。ここは、もうちょっとエネ庁に発破をかけてやらせるしかないと私は思いますね。

魔の川、死の谷、ダーウィンの海

兼原　エネルギーと安全保障はコインの裏表なんですよね。エネルギーに何かあったら戦争なんてできませんから。だけど日本の場合、戦後、「アンポ（安保）」というと与野党激突の主舞台であり、霞が関でこの政治の戦いに参戦したのは外事系の外務省と防衛省と、治安・防諜系の警察庁と法務省だけで、他の経済官庁はほとんど安全保障に関心を払わなかった。科学技術政策、産業政策、エネルギー政策のほとんどが国家安全保障に紐づけられているアメリカとは正反対です。今、ようやく経済安保という話になって、経済官庁が安全保障の世界に本格参入してきたところです。

豊田　やっぱり平和ボケしているのですよね。G7の中で一番自給率の低い国であるというのは明確に意識したほうが良いです。韓国は、再エネ比率は6%強で低いのですが、原子力比率が約30%であり、エネルギー自給率は、日本より高く16%程度となっています。北朝鮮など地政学的に、北アジアも不安定度を増しています。日本で国防予算を増やしていただくのは大変結構だと思いますが、エネルギー予算も一緒になって増やしていただいたほうがいいかもしれない。

髙見澤　本当にそう思いますよ。

兼原　アメリカのCHIPS法とかインフレ抑制法は、半導体内製化支援とかインフレ抑制とか謳《うた》っていますが、それは表向きの話で、究極の目的は国家安全保障なんです。「蓄電池で頑張れ」と言っているのは、何も再エネの話だけをしているわけではなく、最新鋭のドローンやロボティクスの兵器に使われていくからですよ。だから、その研究開発や市場製品化にドーンと公のお金が入っていく。

戦後の日本政府はエネルギーの話を防衛政策から切り離してしまった。石油危機後の「油断」に対応する戦略備蓄の話がエネルギー安保の話として語られますが、有事の際の日本のエネルギーをどう確保するかという議論がない。これはおかしな話です。
経済と安保は表裏一体です。本来なら、安全保障目的の研究委託だと言って、民間企業のラボにも大金を政府が入れていいと思うんですよ。三菱重工とか三菱電機とか、いわゆる防衛産業系の企業だけではなく、優れたデュアルユース（軍民両用）技術を有する民間企業のラボに、年間1兆円くらいドーンとつけて、「国が面倒を見るから、リスクは度外視して研究してくれ」という産業安保政策、科学技術安保政策があってもいい。

髙見澤　ちょっと雑談になりますが、3・11で被害を受けた福島第一原発については、廃炉の作業が注目されています。私が通産省に出向していた40年以上前の話ですが、極限作業ロボットというのを構想していて、原子炉格納容器内の作業をロボットに任せようという検討が行われていました。このときは、仮に極限作業ロボットとしては成功しなくても、他にも使い勝手があるかもしれない、ならばこの技術は全省庁で共有できないのかと思っていました。あのときできていれば違ったと思いますが、3・11で廃炉がすごく大変だ、リモートセンシング技術の開発が必要だ、原子力環境下でのレジリエンシー（耐久力）の確保はどうするのかという話になった。何兆、何十兆円もの国費を使うわけですから、いろいろな情報を集められるし、こうした技術は有効に活用しないといけない。
最近、この廃炉の最先端の作業に関係している人の話を聞きました。日本の大手メーカーが支援して、イギリスの企業と協力して取り組んでいるけれど、うまくいっていない。こちらも協力するからと言っても、ソフトの部分はイギリスが絶対に教えてくれないということです。廃炉に取り組んで得られる失敗と教訓、データや技術を共有するとすごく効果があると思うんですが、そういうことにはなっていない。3・11への対応ということで一度できたかに思えたオールジャパン体制がどんどん消えていく。気が付くと技術を持った外国の企業が日本の一部の企業と日本のお金を使って何かやっている、という感じになっている。そして、その成果は日本国民には還元されにくい。

豊田　それは何で還元されないんですか。

髙見澤　プロジェクトのメインが、外国企業のほうになっちゃっているんですよ。辛いのは、もう自衛隊が関係なくなっていることです。廃炉の技術に関しても「これは特許がありますから」ということになってしまう。

兼原　技術が社会に実装されるまでには、いわゆる「魔の川、死の谷、ダーウィンの海」があります。基礎研究、応用研究から製品開発の段階では、優れた奇抜なアイデアを実際に社会で使えるような製品に落とし込むまでには技術面、資金面でいくつものハードルがあって、なかなか成功しない。これが「魔の川」。たとえ技術開発に成功したとしても、マーケットに出してすぐに売れるとは限らない。生産ラインを作ったりするのには、ものすごくお金がかかる。そこで製品としては死産となってしまう。これが「死の谷」。仮に製品をマーケットに出せたとしても、それを社会に受け入れてもらうまでには、その製品の意義やメリットを市場に認知させなければならない。これが「ダーウィンの海」です。ほとんどの製品が売れずに死んでいく中で、突然変異の様にしての し上がってくる企業がある。アップルやモデルナがそうです。巨大化した新興企業は、自分の力で技術開発をさらに進める。米国防総省は、その上澄みを掬《すく》い取る。アメリカは、マーケットと政府がうまく共存して技術を社会全体で発展させるエコシステムを持っています。

たとえばイーロン・マスクのスペースXは、最初ロケットの打ち上げに3回連続で失敗して、4回目にやっと成功しました。当時のスペースXは死の谷とダーウィンの海の真ん中くらいにいたと思いますが、この4回目の成功の後にNASAが16億ドルの打ち上げ契約を提供した。これがきっかけとなって、スペースXは大化けしたわけです。G

AFAMにだって、いろいろな段階で公のお金が入ってきているはずです。

アメリカでは、技術に見込みがあると判断されたら、死の谷に「ナショナルセキュリティ（国家安全保障）」という虹の橋がかかる。「何か軍事に使えるんじゃないか？」ということで、基礎研究の段階から、巨額の公金を使いながら最先端技術が育て上げられて、マーケットに出ていくんですよ。スタートアップのお金も政府、たとえば国防高等研究計画局（DARPA）が出す。マーケットで成功してもいいし、そのままペンタゴン（国防総省）で軍事技術として成功してもいい。米国をはじめとする多くの先進国には、科学技術こそ国家安全保障の一丁目一番地だという国民的合意があります。

日本は政府が金を出したくても、軍事の「ぐ」の字がついた段階で、左傾化が進んだ学術界では「もう絶対やらない」となってしまう。つい最近まで、デュアルユースでさえやらないと言っていました。今時、軍民両用でない技術なんてほとんどないのに。

学術界、研究現場の協力が得られない

豊田　経済安全保障という言葉には、エネルギーが入ってないですよね。何故入れない

のでしょう。

髙見澤　以前からやっていますという感じの整理になっているんです。そこは既存の枠組みでちゃんとやっています、と。

兼原　70年代の石油危機の時に作った原油の戦略備蓄の仕組みが出来上がっており、エネルギー安保というと長い間、原油備蓄の話に局限されてしまっているのです。

豊田　70年代の時の石油危機と今の大きな違いは、温暖化です。温暖化付きエネルギー安全保障ですから、これまで以上に技術開発が重要です。その技術開発の部分では、原子力も新型を中心にということになっていますから、今より進めないといけないですし、水素についても今は全然ペイしないわけですから、これをペイするようにコストを下げていく必要もあります。やっぱりエネルギー安全保障を経済安全保障の中にうまく入れる必要があるのではないでしょうか。

兼原　今度GX（グリーントランスフォーメーション）関連で、予算が何兆円か入りましたでしょ。あの議論に国家安全保障会議（NSC）は全く関与していないのではないでしょうか。私は「それはおかしい」と言っています。GXも、国家安全保障の一環だと言って、ハイリスクな最先端の技術開発にドーンと公金を投入するようなことをやればいいんですよ。例えば蓄電池の開発なんか、なんぼ補助金つけてもいいから、やればよかったんです。

国家安全保障のためのハイリスクな研究という性格をはっきりさせないと、毎年度末に、会計検査院や国会で「成果がない」と言って厳しく追及される。そうすると結局スケールの小さなちょぼちょぼした成果が出てくるだけで、何のブレイクスルーも生まれない。結局、予算の無駄使いになるんです。あるいは「WTO違反の補助金」と言われてしまう。科学技術と安全保障が断絶させられた戦後日本の姿は、明らかに異形です。

豊田 せめてデュアルユース的な分野はそうしていただいたほうがいいと思いますね。

兼原 ええ、特にEVとかロボティクスがこれから発展していきます。安全保障直結の分野です。民間企業のラボも含めて、委託研究という形で、いくら予算をつけてもいい。そうしたらずいぶん日本の技術陣も前に出られたと思うんですけど、日本は縦割りで、GXはGXで走っちゃうんですよ。これはもったいないと思います。アメリカは、科学技術と言えば、安全保障も、ビジネスも、研究機関も、なんだかんだと繋がっていますから。優れた技術者は、リボルビングドア（官公庁と民間企業で人材が流動的に行き来する仕組み）を通って様々な分野に移っていく。

高見澤　日本はいまだにやっぱり分野別にやっているんですよね、結局ね。

末松　4～5年前に、防衛省に各省の研究開発の予算を拠出して、防衛省から大学とか研究機関にお金を出してもらおうとしたことがあります。何をやってもらってもいい。お金を出した防衛省は見ているから、どうやって使えるかは分かる。そういうふうにしようとしたんだけど、日本学術会議とか大学関係の反対で出来ませんでした。

あの時、私は出向で経産省にいて、経産省もデュアルユースということでいいから防衛の観点でお金を配ろう、ということで動きましたが、うまくいかなかった。

兼原　安全保障技術研究推進制度とかいう名目で、防衛装備庁が民間や学界の研究者と交流するために１００億円積んだ件ですね。学術会議が「これには絶対付き合っちゃいけない」と通達したので、旧帝国大学系の国立大学はみんな腰が引けてしまった。私立大学がそれに倣った。それでも北海道大学の研究者が勇気を奮って予算を防衛省に取りに行ったら、文科省から来ている副学長が「防衛省に行くな」と言って止めたと聞きました。「あなたはどっち向いて仕事しているんだ」と言いたくなるような話でしたね。

そんなことが続いたので、私のいたＮＳＣが、科学技術と安保政策の融合に力を入れ始めたわけです。安全保障に関する限り、日本の学術界には学問の自由はない。最近の動きとしては、内閣府の「Kプログラム（経済安全保障重要技術育成プログラム）」もありますが、学術界の取り込みには依然として苦労しているようです。

私は、特に経産省が産業政策に安保政策を取り込み始めたことに注目しています。その立役者が内閣官房で外政室の審議官を務めてくれていた平井裕秀経済産業審議官なんですよ。NSC経済班が出来る前は、内閣官房外政室の平井君が中心になって総理官邸で経済安保をやっていました。彼が経産省に戻る時、「これからは貿易政策だけじゃなくて、産業政策でも安全保障をやりますよ」と言っていました。彼は狭い意味の軍事の話をしていたわけではなくて、台湾有事になれば半導体供給が途絶する危険があるのでTSMCを熊本に呼んで日本で半導体を作らなくてはならないとか、北海道・千歳にラピダスを作って世界の最先端半導体製造技術に追い付くということを考えていました。彼の力で何兆円という予算が付いた。あれは補助金って言われないわけですよ、経済安全保障のための予算ですから。やっと今、日本の産業安保政策が動き始めたんです。

宇宙政策は安保政策とうまく連動

豊田　少々話が変わるんですけど、宇宙は、経済安全保障の一つの柱になっています。

兼原　政府は、ＪＡＸＡ（宇宙航空研究開発機構）に向こう10年で１兆円の「宇宙戦略基金」を作り、民間や大学を支援して、宇宙ビジネスの活性化を図ると報じられています。

豊田　政府は２０２２年12月、国家安全保障戦略を決定し、柱の一つとして「宇宙安全保障」を位置づけ、宇宙の安全保障に関する政府の構想を宇宙基本計画に定めることになりました。これを踏まえて、２０２３年６月に、宇宙安全保障構想が作られ、「宇宙開発の中核機関としてのＪＡＸＡの役割の強化」が謳われました。２０２４年度から、10年間で１兆円の宇宙戦略基金をＪＡＸＡに設けて、宇宙産業の成長を支援することになりました。これは、単年度主義を超えた柔軟な使い方ができる基金です。

宇宙予算に関連して申し上げれば、宇宙太陽光発電を、アメリカはどこで研究開発を進めているかというと、海軍なんですね。何故かというと、当面はコストがかかりますが、高くても安全保障の観点からやろうというのが海軍だからです。地上の太陽光は稼働率20％前後、宇宙太陽光では90％を超えている。例えば、軍用船が太陽光でエネルギーを補給できるようになれば、寄港しないで走れる距離が長くなる。そういう想定もあるようです。

日本も、2008年の宇宙基本法において、宇宙の安全保障への利用が可能となりました。この結果、内閣府に宇宙担当大臣を置き、内閣総理大臣を本部長として、宇宙担当大臣と官房長官を副本部長とする宇宙開発戦略本部を設置しました。私は幸運にも、初代の宇宙開発戦略本部事務局長を仰せつかり、初めての宇宙基本計画の策定に関与しました。その後、15年近くたつのですが、地政学的変化の中で、宇宙政策は、関係者の皆様のご努力により、着実に安全保障政策に貢献してきていると感じています。今回、宇宙を、経済安全保障の一つの柱にしていただいて、防衛省も含めてすごく真剣にやってくれているので、私は大変結構だと思います。ここにとどまらず、経済安全保障戦略に、エネルギーを入れていただくと、エネルギー安全保障が、産業のみならず、国民意識の中に、シッカリと位置付けられるのではないかと思います。ちなみに日本でも、2025年度には、宇宙太陽光の軌道実験を、衛星を打ち上げて実施する計画が進んでいます。

髙見澤　今、JAXAの人が防衛省に移籍して、仕事をしたりしていますが、単なる出向を超えてそういうふうな人の交流が進めばいいですね。

兼原　まだ当時の民主党と自民党が仲が良かった短い時期に、石破茂さんとか河村建夫さんとか前原誠司さんとかが、与野党の垣根を越えて海洋と宇宙の基本法の改正をやっているんですよね。あれで宇宙の絶対平和利用という日本独自の枷を外した。豊田さんにも宇宙開発戦略本部事務局長としてご活躍いただきました。内閣府（当時は内閣官房）の宇宙開発戦略本部事務局が引っ張って、準天頂衛星システムの「みちびき」を上げた。よく上げたと思います。霞が関でも市ヶ谷（防衛省）でも「誰も使わないよ」と言っていたのに、とにかく打ち上げた。上げてみたら色々使えるじゃないかという話になった。米国防総省との協力関係も出来た。

あの時、一番心配していたのは米国などから「ＷＴＯ違反じゃないか、何で国産なんだ」と言われることでした。それで、何とかして安保衛星と言おうという話になったんですが、外務省、防衛省といった安保関係官庁が使わない。国産偵察衛星は使うけど、準天頂衛星はとりあえず使う計画がありませんでしたから。でも、測位衛星は使おうと思えば軍事に使えるのだから、最初から堂々と軍事衛星ということにしてもよかったと思います。

高見澤　日本が昔からターゲティングをやっていれば、それはもうＧＰＳの限界もあるからという話をしていたと思うんですけど。

兼原　ＪＡＸＡとの協力が進んだことは喜ばしいです。宇宙政策委員会委員長だったＪR東海の葛西敬之さんが安倍総理と仲が良く、山川宏さんという理解のある方をＪＡＸＡの理事長に連れて来られた。ＪＡＸＡの中も現実主義者とそうでない人たちとがいるんですが、「みちびき」では産官学が協力しました。自衛隊は、内閣衛星情報センターの主力として偵察衛星事業にかかわってきましたが、自衛隊本体の中に宇宙防衛隊が出来てＳＳＡ（宇宙状況把握）に取り組むようになった。最近になって、ようやく自衛隊とＪＡＸＡと文科省と産業界が協力できるようになってきている。産官学自の協力が実現したのは、宇宙分野が初めてです。宇宙は経済安保で一番成功した事例なんです。

エネルギーの方はこれくらいで切り上げていいですかね。では、次に食料安保に行きましょう。農水次官だった末松さんに、まず概況をお話しいただきます。

戦後農政の出発点は、「国民を腹一杯にする」こと

末松　当たり前の話ですが、食料っていつでも要るんですよね。戦争は銃で始まるけれど決着をつけるのは常にパンである、という１９４３年にフーバー大統領が言った言葉

がありますが、ちゃんと食料を持っているかどうかが戦争の勝敗を決める。第一次世界大戦でドイツが食料不足で負けたとか、そういう分析を当時の日本の陸海軍も行っていて、開戦の時にもどうするかという議論をしています。その時に、有名な企画院総裁の鈴木貞一が、「食料も大丈夫なり」と言って始まっちゃいましたが、当時の日本は国内で食料自給ができておらず、朝鮮とか台湾とか、いろんな所から入れていたわけです。

末松広行（すえまつ・ひろゆき）
1959年生まれ。東京農業大学特命教授。83年に東京大学法学部を卒業し、農林水産省に入省。大臣官房環境政策課長、林野庁林政部長、農村振興局長、経済産業省産業技術環境局長などを経て、2018年に農林水産事務次官。20年に退官。著書に『日本の食料安全保障――食料安保政策の中心にいた元事務次官が伝えたいこと』『食料自給率の「なぜ？」』などがある。

軍からすると、「農林省は何しているんだ」となりますが、その時農林省が担当していたのは日本だけ。植民地は朝鮮農林局とか台湾農林局とか別の組織になっていた。戦争が厳しくなるにつれて、輸入政策をどうするかということが大きな問題になりました。一つは、ちゃんと運べるのか。船を調達して大きな船で運ばなくちゃいけないけど、できるのか。もう一つは、外国から買うので外貨が必要ですが、この調達ができるのか。戦争となると弾や鉄砲の方にもお金が要るので、外貨の調達にすごく苦労した。

このような状況だったので、戦争が終わった時、国内で米の自給は全くできていなかった。米の自給ができるようになったのは昭和40年代初めなので、それまではずっと輸入していたわけです。なので、戦後の農業政策は、とにかく国民に腹いっぱいご飯を食べさせることが最初の大きな目標だった。そのために食糧管理法だったり、農地解放だったりをやったわけです。

農地法というのは極めてイデオロギッシュな法律で、「農地はその耕作者みずからが所有することを最も適当であると認めて……」という考え方に立脚してできていますが、それによって当時は農民のやる気が上がり、生産が伸びていった。あともう一つ、日本国内で作った農民のお米はすべて供出させるということで強制的に国が買い上げて、それを配給するという仕組みにした。それで戦後を乗り切ったというところがあります。

当時、闇市のお米を食べずに死んだ裁判官がいて、その話が時々出てきますよね。確かに当時の配給量は充分じゃなかったのかも知れない。その部分では問題もあったでしょう。しかし、逆に配給がまったくなくて、すべてを闇市任せにしていたらどうなっていたか。多分、金持ちたちが米を買い占めて、飢餓は圧倒的に増えていたでしょう。

コロナの時には店からマスクがなくなるということがありましたが、天変地異が起きる度に買い占めは発生します。何かあると需要が3倍に膨れ上がるということはよくあることなので、安全保障の観点から食料を考えるなら、そういう面も考慮しないといけない。定常的に必要とされる部分と、何かあると需要が急激に増えるのでそれを抑えて公平に分配するという部分の両方を見ておく必要があります。

さっきの豊田さんの話では、エネルギーでは石油ショックの後からだんだん危機意識がなくなったということでしたが、農業の場合は昭和40年代前半に米が自給できるようになってから危機意識がなくなっていったと思います。

米の自給という大政策目標が達成され、大成功に終わった段階で、本当は自由化をもっと早めていくというのが正しい解だったんだろうと思います。しかし、実際に取られた政策は、食管制度を維持したままでの減反政策だった。

昭和30年代40年代には自分たちが作ったお米を全部取り上げられ、一定の値段で買い取られるこの制度は農家に不評でした。しかし、コメ余りになってくると、余った分も含めて全部国が買い取ってくれる制度は、値段が望ましいものであれば好都合です。こうして、当初の目的を達成した食管制度が、農家の方々を保護するシステムに変化していったということがあると思います。

その中で、私たちの農水省の先輩はあるべき自由化に向けてすごい苦労を積み重ねました。農水省はある時、自主流通米という制度を作って、政府米よりも高いお米は自由に流通させるほうがいいですよ、と農家に促す仕組みを入れました。一方で国が買い上げる米価のほうは下げた。要するに、やる気のある農家は自由にどんどんやってくださいということですが、これが政治的には非常に大変で、1996年には当時、食糧庁の部長をされている先輩が命を絶つという事件もありました。

食料が市場化していく流れは変わらないですが、食料安全保障という観点から言えば、大切なことは非常に単純で「できるだけ国内で作る」「一定量を備蓄する」「輸入をきちんとできるようにしておく」という点に尽きます。

宮澤賢治の4分の1しか米を食べない現代日本人

末松　備蓄について言うと、いま世界における穀物の備蓄率は、2007〜08年に食料危機が騒がれた時の1・5倍ぐらいあり、FAO（国連食糧農業機関）の安全水準を上回っているので、安定はしていると言えると思います。穀物価格はウクライナの影響でいったん上がりましたけど、それほど長続きしなかったのは備蓄量が多いからじゃないかという分析もあります。

いま、世界のトウモロコシ、米、小麦といった主要穀物の備蓄の半分以上が中国です。少なくとも統計上はそうなっています。それには二つの見方があって、「本当は違うんじゃないか」「中国の統計はアテにならない」という見方と、「中国はいま、穀物の調達にものすごく熱心になっている」という見方があります。中国は主要な穀物の9割以上を国内で生産するという国家目標を定めていて、実際はなかなか難しいんですが、米とか小麦については相当頑張っている。その目標に入れていない大豆は主にブラジルとアメリカから輸入していて、世界の輸入量の約6割が中国によるものです。トランプさんが対中貿易規制を発動した時には、中国がアメリカの大豆やトウモロコシを買わないと宣言して対抗しましたが、これは買う側のほうが強かった。

日本の場合の一番の問題は、昔は1日のカロリーの半分、だいたい4割ぐらいをお米で取っていたのが、今は2割しか取っていないことです。米は完全に自給しているとは言っても、自給率では2割を守っているということにしかならない。それに他のものを合わせて38%というのが今のカロリーベースの食料自給率ですね。

余談的なことを言うと、日本は1人当たりの年間コメ消費量がもう60キロを切っています。中国はまだ100キロ以上食べていますし、ミャンマーなどは200キロ以上食べている。ちなみに「1日に玄米4合と、味噌と少しの野菜を食べ……」と記していた宮澤賢治は、年間に約224キロ食べていた計算になります。現代の日本人は、宮澤賢治の4分の1しかお米を食べていないんですね。

米をどう見るかについては二つあります。一つは、米は過保護な状態にあるから自由化していく方が日本の農業にプラスになる、という立場です。農水省は基本的にそういう流れで政策を取ってきました。また、いざという時に一番役立つのは米である、水田を守り、普段は1杯しか食わない米を2杯食えば命も繋げるから米を大切にしよう、という立場もあります。農林水産省的にはどちらも大切な考え方で、水田を大切にしつつ、需要に応じた生産をしましょうというありきたりな結論になっちゃいますが、世界の状況を見ながら対応を考えていくことがすごく大切な気がします。

髙見澤　もう食料がないとなった時、私は簡単に昔に戻れるんじゃないかと思うんですけど、そこはどういう感じなんでしょうか。

末松　まだそういう経験がないですよね。ないけど多分、米だったら戻れるんじゃないでしょうか。

イギリスでは１９６０年代に、食料自給率を40％まで下げて、それから１９９６年には80％まで上げて、２０１９年は70％ぐらいになっています。それは非常に単純で、自由化によってカナダとかから輸入していた小麦を国内で作ろうということに戻したからです。そうしたら自給率がグーっと上がりました。彼らはずっと同じ食生活を続けているから。

兼原　日本に比べたら遥かに粗食ですけどね、イギリスは。

末松　日本の食生活は豊かになったし、和食はユネスコ無形文化遺産になるし、米だけ食うのがいい、イギリスみたいになるのがいいとは言えないけれど、いざという時に米を作れる力を持っておくことは大切な気がします。

　ちなみに面積当たりでいくと芋が一番カロリーが取れる。いま食料自給率38％ですけど、日本の農地で日本人の必要なカロリーを全部供給できるかと言えば、理論的にはできます。芋を作って、それを豚とか牛とかにエサとして与えずに自分たちで食べるなら。

　更に言えば、米よりもトウモロコシのほうがカロリー効率が良い。トウモロコシを粉にして、お菓子みたいな形でとればカロリー摂取には好都合ですが、ほとんどのトウモロコシは家畜のエサにしかなっていません。

食料は、武器にした側が負ける

兼原　スイスみたいに小麦を備蓄して、古くなるとどんどん安値で売っていくような仕組みは、日本でもできるんですかね。国民は古米なんて食べないような気もしますが。
末松　スイスの備蓄は民間セクターが担っており、備蓄分も商品の在庫・払い出しサイクルにしっかりと組み込まれています。また、スイスは憲法に食料安全保障が書いてあって、本当に国民の意識が違うと、スイスに行かれた人はみな言いますよね。国産品志向も強いので、国内の卵が80円で、スペインとかから入ってきた卵が半額近くても、ちゃんと80円の卵から売れていく。通常、民間セクターは在庫が積みあがるのをいやがりますが、そういうマインドを持った国民がいて成り立つ仕組みである、ということは言えます。

兼原　だとすると舌の肥えた日本人は無理ですね。食い倒れの大阪なんか絶対無理でしょう（笑）。

末松　米も備蓄はしています。一時期は回転備蓄ということで、まず備蓄をして1〜2年経ったらそれを放出するというやり方で回したこともありますが、在庫が積みあがってしまったいまは棚上げ備蓄という形で5年間持って、5年経ったら飼料などにするというようなやり方に変わっています。

石油の備蓄は回転備蓄みたいな感じで、最終的にはまた売ることを想定できますが、米の棚上げ備蓄の場合は5年経ったら資産価値がほぼゼロになる。だから本当はスイスみたいに回転備蓄で回せたらよかったんですが、そこはなかなか難しい。

備蓄については、お米はモミで備蓄すれば相当もつというのがあるので、地味なことですけど、私はそういうことをもう一度考えたらいいのではないかと思います。

カロリーベースの食料自給率38%とは、言い換えると62%分のカロリーを海外から輸入しているということですが、日本人が飢えないためのカロリーというのは、基本的にアメリカ、カナダ、オーストラリアから輸入しています。小麦とトウモロコシ、あと大豆ですね。そういう意味では、レアアースなど中国に依存しているものとは違って、この3カ国との関係がよければ基本的には食いっぱぐれることはない。ただアメリカは一度、大豆を止めたことがあります。

あと安心材料をもう一つ言うと、食料を止めるという話は、大体食料を武器にしたほうが負けるんです。アメリカは二度と食料の禁輸はしないみたいなことを、トランプ大統領はともかく政策担当のレベルでは言っています。それはなぜかというと、禁輸されたほうは本当に必死になるので、別のところから輸入をして手当てしてしまうからです。そうなると、単にマーケットを失うだけになる。アメリカから大豆が来なかったらブラジルから買うとかね。そろそろ許してやるかと輸出を解禁したところで、もう市場は戻ってこない。

食料安保的に言えば、輸入が安定的にできる状態を確保するのが非常に重要ですが、カロリーベースで日本が頼っているのはアメリカ、カナダ、オーストラリアですから、安心は安心と言えます。ただ、シーレーンをちゃんと確保しておくとか、課題はあります。また、仲が良くても政治的な要因でなく、不作時になればやはりその国の国内が優先になるということは覚悟して、対応を検討しておく必要があると思います。

小麦は国産が15％であとは輸入、トウモロコシはほぼぜんぶ輸入、大豆も国産６％で残りは輸入です。大豆とトウモロコシはアメリカから、小麦はアメリカ、カナダ、豪州から来ています。

豊田　安定的な国ですよね。幸いなことに同盟国。

兼原　レアアースと逆のパターンですね。

末松　ただ、肥料の問題は別途あります。肥料の輸入先は、そういう安定的な国ばかりじゃないので。そもそも、あんまり生産地が世界にないんです。

ただですね、化学肥料を輸入するだけでなく、堆肥や下水汚泥といった国内の肥料資源を利用できるようになれば、本当はそんなに輸入しなくてもいいはずなんです。窒素、リン酸、カリなどは、すでに日本に豊富にある。糞尿などで排出されたものに蓄積しているわけですから、回収の技術が進めばかなり状況は変わるでしょう。ＮＥＤＯ（新エネルギー・産業技術総合開発機構）でいろんな研究をやっていますが、まだ値段が高いんですね。

高見澤　レアアースの都市鉱山ならぬ、農村鉱山があるという話ですね。

末松　そうです。そういう意味では、下水とか廃棄物といった静脈産業の部分をもう一度見直せばいい。いろんな資源が眠っているはずです。その技術開発については、だいぶ動き出しましたが、とても重要だと思います。

やる気のある農家が全体を引っ張る

豊田　さっきのスイスのお話、すごく面白いんですけど、スイスの場合は高いけど買うという国民の意識があるからできているということですよね。やっぱり安全保障の定義に食料を入れていただいたほうがいいんでしょうね。

高見澤　おっしゃる通りだと思います。私はジュネーブの軍縮会議日本政府代表部大使をやりましたが、ジュネーブの国際機関日本政府代表部大使のところは立派というか、スイスフランとユーロの扱いが面倒だったからか、スイス国内でしか食材を調達していないということでした。一方、私がやっていた軍縮会議代表部大使のところでは、小回りが利くのでフランスで食材を調達していた。だからコストも安くておいしい料理を出せた。ジュネーブ国際機関代表部のほうは、高くてイマイチの材料なんだけれども料理人の腕でおいしいものを出していたという話があるぐらいですから。

末松　そうですね、フランスまで下りていくと、すごく安いものが買えるけれども、やっぱりスイスが生きていくためにはやるべきことがある、というようなことをいろんなところで聞きますよね。

髙見澤　スイス人は、やっぱり耐えることに慣れているということじゃないですかね。そこは正直、ちょっとついていけないほどすごいなというところがありました。

軍縮会議代表部の歴代大使のドライバーさんをやっていた人はエジプト人でしたが、その人はスイスで料理を食べる時は、必ずパンを換えてもらうと言っていました。確かに備蓄の匂いがしましたね、パンは。

ただ80円の卵の話は、やっぱりスイスの人にお金があるからでしょうね。そういうことを余裕で受け止められるというか、義務感にも支えられているけれど、裕福さにも支えられているということじゃないかと。

食料安全保障は、エネルギー安全保障よりは楽観的と見ていい感じですかね。

末松　そうとも言えないと思います。頑張る農業者は増えていますが、基礎体力は落ちているんですよね。やや教科書的な答えになりますが、農業している人をある程度確保して技術を絶やさず、農地もできるだけ減らさないようにしないと。

いまの日本は高いものを作って、安いものを輸入しているんです。カロリーベースの食料自給率は38％ですけど、金額ベースの自給率は58〜63％。広いところでザーッと作るもの、たとえばトウモロコシ、菜種などの油糧作物は輸入していて、これは日本の経済的なことを考えると合理的です。カロリーベースで足りないものを作ろうとなると安いものを作ろうということになるので、そこを無理やりさせるのは安全保障のためには役に立つかもしれないけど、経済的には持続可能でない。それよりも今は得意なものをいっぱい作って、国内で消費しない分は外に出しておこう、すなわち輸出しておこう、と。農地と技術のある農家が確保できていれば、いざというときに国内向けの食料を供給できる。そういう基礎体力をつけておこうというようなのが基本的な政策になっているんですね。

それと技術革新の余地はまだあります。スマート農業と今言われているものによって、生産性がかなり上がる余地があるので、まだまだ基礎体力は上げられる。

兼原　私の実家は山口県北浦の田舎ですけど、農地もどんどん減っていて、家が建ったりしています。でも人口も減っているので、人の住んでいない空き家が多くなっていますね。日本の農業の将来が心配になりますよ。この国の農業って、これからどういう形になっていくんですか。

末松　いま既に12％ぐらいの農業経営体で農産物の販売金額の80％ぐらいを作っています。効率化された農業はちゃんと所得を得られているので、生産額で１０００万円以上の人たちで全体の７〜８割を支えているんです。

そういう意味では、少ない人数でいろいろやれる芽は十分出てきている。ただ、そういう稼げる農家だけで日本の農業を全部やっちゃおうということでいいのかと言えばそうではなくて、農村全体で支えていくことが大切だと思います。農業には農産物を生産するだけでなくプラスαの機能がいろいろありますから、そういう部分はずっと必要なんじゃないかなと思います。

産業としての農業って、うまくいっているところはかなりあるんですけど、うまくいっている話はあんまり出ないで、こんなに困っているという話が結構クローズアップされるような気がします。

高見澤　一時話題になりましたが、例えば外国人実習生をたくさん使って1000万円以上は確実に稼いでいる農家がたくさんあります。私の実家は長野県の南牧村ですが、お隣の川上村もレタス栽培で有名になっていて、稼いでいる農家がたくさんある。子どもの数も増えているそうです。村長が昔からどんどん近代化政策を入れて、インターネットを早くから普及させて、マイナンバーカードも普及率が高くて、そういうデジタル農業的なことを進めた。

末松　川上村はおっしゃる通りで、農林水産省の補助事業を最も効率的に使っています。

あそこには耕作放棄地もないし新規就農もないと言われています。全部地域内の後継者が継いじゃうからです。稼いでいるので、冬になると沖縄に行っちゃう人も多いという話を聞きました。似たような事例では島原市なんかも立派で、合計特殊出生率が2・07。そこは畑作で800万から1200万稼ぐ家族農業の方々がいっぱいいるので、しっかり子どもも増えていく。

そういう良い例はいくらでもあるんですが、その隣が同じことができるかというと、そうでもない。農協が悪いわけじゃなくて、しっかりした農協は前向きな活動でしっかりと成果を出しています。今は多分過渡期で、産業として自立していく流れは続くんだと思います。

昔は、農家というのはその地域で小規模な多くの方が同一の作物を生産しているという前提で、農家の方々を指導して、地域ごとに産地を作ってという、そういうやり方だったんですけど、今はそうじゃなくて、しっかりした人たちが自分たちで考えた農業をするし、会社も作って大きくするというようになっている。それについていけない人たちはなかなかうまくいかないというのは、ある面、しょうがないと思いますね。

農政のいろんな議論には、そういう人たちも全部切り捨ててとにかく強くすればいいんだ、いったん自由にすれば淘汰が進んで全体が強くなるんだというのと、やっぱり地域で支え合って発展させていくんだというのとの両方があります。地域の仲間で支え合って発展していくんだという考え方はそのとおりだと思いますし、国も支援していきたいと思っているのですが、だったら国がもっと補助金を出せという考え方に繋がるので、そこの判断はなかなか難しいところがありますが。

市場原理をどこまで追求していくかというのは、特に米作りなんかでは、さじ加減が難しい。先ほど言った食管法時代の配給の仕組みでは全部コントロールできて、私が入った頃は、今年の米の生産量は何トンだから何県に何トン配るとか、そういうレベルまで管理していたんです。けれど、市場原理を導入して、自由にすることによって生産性も上がるし、国の管理コストも下がっていくので、この大きな流れは止められない。それでも、食料安保的なことを考えるなら、いざというときには、必要なものが生産されるような措置を講じる体制をつくっておく必要があるのかも知れない。市場原理主義だけじゃなくて国がいろいろやらなくちゃいけないんだという面は出てくるかと思います。しかし、それは全面的に規制することでもなく全面的に保護することでもない、食料安全保障に必要であるものにしていくことが必要だと思います。

米の価格はボラティリティ（価格変動の度合い）が高いので、完全に自由化したら大豊作の時には価格が暴落して大変なことになったりしますから、ある程度国がコミットするというのは必要な気がするし、他の産業もそういう自由化と国による規制の両方を見ながら対応しているんだと思うんですよね。

再エネの新しい発想法

末松　あともう一つ。先ほどの豊田さんの話とも関係してくるのですが、田舎にはちょこちょこした再生可能エネルギーがたくさんあります。それをうまく活用していくというのは、メインストリームのエネルギー安全保障にはならないけれど、地域の災害時の対応などに活用できると思います。今はＦＩＴ（固定価格買取制度）があって、ソーラーでも風力でもＦＩＴでの売電に流れがちですが、地域での電力利用に重点をおいた仕組みが大切になってくると思います。メタン発酵とかソーラーシェアリングみたいなものは地域で活用する電力として有望だと思います。これらの分散型電力はこれから大切な気がするし、少し動きが出てきたと思いますが、今まで以上に大電力会社が本腰を入れてくれるといいなと思います。

兼原　電力会社はむしろ逆方向じゃないですか。お客さんが自分たちから逃げる話になっちゃうので。

末松　再生可能エネルギーは、個人的にはもっと大手が本腰を入れる展開がいいのかなと思っています。

髙見澤　再エネにはコミュニティ・ビルディング的な要素もある気がするし、コンビニとかガソリンスタンドとか、そういう全国展開しているところが防災的な観点で再エネに力を入れてくれるといいな、とは思いますね。セブン－イレブンの最近の出店を見ていると、すごく防災に気を使っている感じがあります。駐車場スペースを必ず店の前に作って、それによって商売も繁盛しているけれども、災害時の退避スペースとしても意識している感じがあります。そこにうまく自然エネルギーなどの要素を混ぜたような形はできないのかな、と。ガソリンスタンドは最近、ワークライフバランスか何か理由はわかりませんが、土日休んでいるところもあるわけで、コンビニが簡易なエネルギー供給拠点になったりすると便利な気がします。私の田舎でも、村の中の場所によって全然日照時間が違いますが、日照時間が長くて風も強くないところなどは、何かやり方があるような気がします。

ただ太陽光パネルが景観をそこなっているのは事実なので、あれが美しく見える作り方とか配置の仕方は考えてほしいですね。あとはウェアラブルな発電装置とか。たとえば太陽光を蓄電できる機能を備えた背広を着て仕事をするとかね。そうなると我々1人1人がいわば発電装置になる。そういう時代が来ないのかな、なんてことも考えます。

末松　ペロブスカイト太陽電池なんか、そういう発想ですよね。

豊田　再エネへの反対論を聞いていると、やはり土砂崩れを一番恐れているみたいですよね。日本の場合、あまりフラットな土地がないですから、流域の上流のほうで整地してソーラーパネルを置いていると、緩んだ地盤が下流の方まで流されてしまう。科学的因果関係はさておいて、熱海の土砂崩れなんかはそうした懸念を呼び起こしました。

高見澤　そうだと思います。あと景観的なところでも抵抗感がある。昔は多くの人が訪れた清里のあたりも、いまは非常に醜い感じがするんですよね。観光客もがっかりするみたいですが。

兼原　電気って、一番使っている東京の周りでたくさん作っているわけじゃなくて、全国で発電しているんですよね。例えば風力でいっぱい電気を作れるとして、地元の需要よりも供給が多いなら、そこで電力を消費して何か作ったらいい。例えばリン。なぜロシアがリンをいっぱい作っているかと言えば、電気が安くたくさん使えるからです。

末松　アルミなんかもそうですよね。アルミの製錬はカナダとかロシアとか、電気の安いところの競争力が高いと思います。

兼原　電気を作ったら、電力の大消費地まで送電線で持ってこなくちゃいけないと思い込んでいるわけですけど、地産地消で使ったらいいじゃないかと。北海道の風力発電なんてそうでしょう。北海道で余った電力を利用して肥料を作るなんてどうですか。そうすると、地場に新しい産業が出てくるはずなんですよね。

豊田　電力会社も経産省も、再エネを作ってくださるのは歓迎だと思うんですよね。現状では2030年の目標にぜんぜん届きそうもないですから。いま太陽光の場所がなくなってきたので、政策的には、太陽よりは風力に力が入っているんですが、そうなると送電線の話になります。

ただ、すごく彼らが気にしているのは稼働率です。太陽というとせいぜい20％で、風のほうはもうちょっと高いと思いますが、それでも40％。風がない日、雨や曇りの日のためのキャパシティは用意しておかないといけないので、そういう意味ではどこかで限界が出てきてしまう。いま一番お困りなのは九州電力です。九電の地域は再エネがすごく多いわけですけど、九電はもうこれ以上は購入できないという状況になっていて、再エネの出力制御を余儀なくされている。蓄電池は今のところ、高コストですから。

末松　九電もそうだし北海道電力もそうなんですけど、要するに、カンカン照りで風が強かったりすると、発電量が送電線のキャパシティを超えちゃうわけです。本当は石油とか米のように備蓄が簡単にできればいいんですけど、蓄電池はすごくコストが高いんですよね。揚水発電っていまだに山にダムを作って、そこに水を一度上げて、それでもう一度発電に戻すというのが備蓄のやり方としてありますが、これはなぜかというと、蓄電池とかそういう備蓄のコストが高いからです。
　九電の管内で再生可能エネルギーをやっている人たちは、発電量が地域の電力必要量を超えてしまう時には止めてくれと言われてしまいますよね。
豊田　その渡せなくなった電気で一番製造しようとしているのは水素ですよね。ヨーロッパは、日本よりも再エネの普及率が高いので、その段階に行こうとしています。一定の稼働率を持たないと、普通の電源がペイしないので、それをするために再エネの出力を抑制する。これはヨーロッパもアメリカも同じなのですけど、その制限して余ったもので水素を作るという方向に今向いています。ただ、コストが高い。日本でも、ここをもっと支援したりすればバランスが取れるのだと思います。
末松　ＦＩＴで推進してきたので、発電する人にとってはとにかく全量買ってもらうのが一番得ですが、将来は例えば時間帯によって電力の値段を変えたりすると違ってくると思うんです。足りない時の発電は高くして、余っている時の発電は安いとなれば、安い時の電力は自分たちで使って何かしようと考えるでしょう。このような展開を、経産省は考えていると思いますけどね。
高見澤　物流のほうでは、ＡＩを使ってどこの倉庫から出したらいいかの最適解をコンピュータでできるようになっているから、電力でもスマートメーター化が進んでＡＩメーター的なものができたら、デマンドとサプライの関係は、予測も含めてかなり信頼性のある形でタスキングできるようになっていくんじゃないでしょうか。

豊田　ある程度はそうだと思うんですけど、太陽光のように稼働率20％程度だと、それが増えていった時にバックアップとして維持しておかなきゃいけないので、普通の電力にものすごいコストがかかってしまいます。これがバックアップ・コストです。そうなると、それこそＡＩで計算して、逆にどのぐらいで止めていただくかみたいな話になるかも知れません。それは不毛な感じがしますし、再エネを進めるという国家目標もありますから、やっぱりそれを使って何かするとか、水素のように別のエネルギーにするという方向を強力に支援したほうがいいのではないかという気がしますね。欧米というか、米はまだそこまでいってないですけど、欧はもうそっちにいってますから。

末松　そうですね。それから今までは大規模な送電線があって、発電所をどこかに作るとかいう発想でしたが、今おっしゃった水素の生成装置のちっちゃいのがあちこちにいっぱいあって、余った時は使えます、というような発想に変えるとかね。

豊田　今、福島でそれを一生懸命やっておられますね。まだ農業の方々との調整まではいってないと思いますけど、水素にするというのは始まっていますです。まだペイしないですが、2030年を越えるとペイしてくるんじゃないかという気がします。ペイしない間はやっぱり支援が要りますよね。

末松　あと髙見澤さんがおっしゃった服だったりね。ペロブスカイトって最近有名なんですけど、あれは薄くて軽いですし、曲げたりもできますし、いろんなところに太陽電池を付けられます。それこそ服に発電機能を持たせたり、建物の壁や窓に発電機能を持たせたりすることもできる。これが実用化していくとだいぶ変わりますね。

中国をどれくらい困らせられるか

兼原　ちょっと別の話をしてもいいですか。日本の安全確保という観点ではなく、有事に中国をどれくらい困らせられるかという話をしてみたい。

第一次大戦の時のドイツは、ロシア、フランス、イタリアという敵に囲まれていて、内陸のオーストリアしか近場に味方はいなかった。その状態でイギリスが大陸封鎖をかけたから、食料の輸入が止まり、数十万の餓死者が出ました。「蕪《かぶら》の冬」と言うそうですが、家畜の餌だった蕪しか食えるものがない状態に追い込まれ、バタバタと人が死んでいった。その恨みがベルサイユ体制に対する恨みに重なってヒトラーを生んだという話もあります。

中国もあれだけの人口があって、周りはヒマラヤ山脈とゴビ砂漠とシベリアの凍土に囲まれて孤立しています。シベリアは地続きですからロシアの穀物は入ってくるはずですが、仮にアメリカが海軍力を用いて大陸封鎖をしたら中国はもつのか。強国思想の習近平主席は、戦時中の日本の様に、有事に備えて食料自給率を上げる方針らしいですが。

末松　日本と中国は農業では長年協力関係にありますが、中国では米と小麦については95%以上自給するということが、中国の全国農業現代化規画という文書に書いてあります。備蓄もちゃんとあるということなので、公式的な話で言えばそういうことを想定した体制を組んでいる、ということだと思います。ただ、家畜のエサになるトウモロコシとか油を取るための大豆はものすごい量を輸入していますから、そこから得られるはずのカロリーが断たれるという面はあるかと思います。

兼原　備蓄も永遠ではありませんからどこかで切れる。14億人以上が普通に食べて暮らせる食料備蓄って、すごい量ですよね。

髙見澤　そうですよね。さっきの話で中国が世界の穀物備蓄の半分以上ということなら、中国の人口は世界の6分の1ですから、世界の平均備蓄の3倍くらいはもっている、ということになるのかもしれませんね。

兼原　多分、中国はそうしたシミュレーションをやっているはずです。中国は常に「アメリカに海路を締め付けられたら怖い」と思っている。彼らは彼らで必死ですから。

末松　そういう意味では、食料は意外に武器にならない気がします。中国がアメリカの大豆を買わないとなった時、中国はブラジルから買う段取りをつけていました。それでトランプが困ったら、EUが「我々が買ってあげるよ」と言ってくれた。実際に起こったことは、ブラジルからヨーロッパに行っていた大豆と、アメリカから中国に行っていた大豆が入れ替わっただけです。あの時私、ずっと見ていたんですけど、EUの人たちはトランプにうまく恩を売ってすごく賢いなと思いました。

兼原　世界市場が機能していてコモディティ化（一般化）している商品は、一つの供給源を締めると別のところから商品が出てくる。油もそうですよね。

末松　但し、出てきても「運ぶ」という問題は必ず出てきます。コロナの頃、私が次官をしていた時にも、船が止められたら怖いなと思わされた案件がありました。

髙見澤　習近平にとって、世論を抑えるのに一番難しいのは食料かもしれませんね。他の案件だったら、規制したり何か脅したりできるけど、食べるものとなるとそうはいかないですから。

末松　これは私の本（『日本の食料安全保障』）にも書いたんですけど、実は中国、大食いのテレビ番組を禁止しています。食料は慎ましやかに、ちゃんとみんなに配るということをしておかないと危ないという意識は相当ある気がしますね。

兼原　中国では毛沢東が大躍進政策をやった時に5000万人くらいの人々が餓死したと言われています。歴史的には何度も飢饉で大量の餓死者を出した国ですが、それでも5000万人はすごい数です。20世紀最大の人道的悲劇です。しかし、高度経済成長を経験した今の中国人は、豊かな中国しか知らない。ひもじさというものがどういうものか忘れているので、次に飢えが来たら、中国政府は持たないのではないでしょうか。

仮に台湾有事になっても、最初、中国庶民の生活はほとんど平時だと思うんですよ。米国も中国本土の都市を爆撃することは躊躇するでしょう。北京が爆撃されることはさすがにない。だとしたら、一番効くのはやはりご飯が足りなくなるということでしょう。

末松　あとは停電ですかね。

兼原　今の中国庶民は、「お上の悪口だけは言わなければ普通に生きていける」と考えています。江戸時代の庶民みたいな人たちですよ。彼らが怒るのは、日常生活に政府が強権的に介入してくる時だけ。だからコロナのロックダウンでは怒った。同じように、食料がない、エネルギーがないとなったら、普通の中国人も相当怒るはずです。

食料は対中国の武器にはならない

高見澤　ただ、今日の話を聞くと、食料から中国の行動を変えさせるのは難しそうですね。逆に、日本側もカロリーベースで見ると、中国にそれほど依存していないので、その面での影響は限定的である、と。

末松　そうなんですよね。コロナの時、玉ねぎが中国から入ってこなくて、牛丼チェーン店などがすごく困ったことがあります。そこで淡路島産とか他の産地の玉ねぎで代替しようと思ったら、国内の玉ねぎはスーパー向けのものが多く、茶色い一番上の皮が付いたままで売っている。中国から来る玉ねぎは、茶色い皮をむいて、四つに切ってあって、冷凍してあって、そのまま牛丼に使えるような加工がされているんです。淡路島の玉ねぎは高い上に加工もしていない、これは大変だということで、最初は手でちぎって、途中で機械を一度入れて、何とか使いやすいように工夫していった。だから、代替しようと思えば出来るという面はあります。結局、意外に早く中国が戻ったので、また中国から玉ねぎは入っていますが、レアアースのような何か致命的なものが食料であるかと言えば、それほどではない。

ちょっと前に中国がホタテの輸入を禁止したといって騒いでいましたよね。確かに日本は困っていましたが、実は中国に送っていたホタテの多くは中国で直接消費されていたわけではない。日本は中国に殻付きのままのホタテを冷凍して送って、中国の人が殻をむいて、塩水か何か注入して大きくして、ペタペタ叩いて、それをアメリカに輸出していたわけです。そんなの日本でやればいいじゃないかということになって、結局は中国向けのホタテ輸出がなくなった一方で、アメリカ向けの輸出が増加した。

高見澤　なるほど、コロナでわかった強靱性みたいな話ですかね。でも、そういうことはあんまり言えないのかもしれない。むしろアメリカとの関係を壊さないことが大事ということで、中国よりアメリカに握られているという話ですね。

末松　農水省は、食料について、どんなに安心な国でも不作が発生することも考えれば、アメリカだけに頼る体制を変えなくちゃいけないとは思っています。例えば小麦の品質はものによって違いますが、輸入数量はアメリカ、カナダ、オーストラリアの順となっており、それだけじゃだめだということで、ウクライナとか、そういうところからも小麦を輸入してみたことがあるのですが、うまくいきませんでした。やっぱりウクライナの小麦よりもアメリカの小麦のほうが圧倒的に美味《おい》しかったし、加工適性があった。

兼原　私は欧州局の東欧圏担当参事官でロシアとの貿易促進担当だったことがあるので、その頃は農水省に日参して、「ロシアとウクライナの小麦を買ってください」って言ってました。その時、何て言われたと思います？　「兼原君、日本は世界最高級の小麦しか食べないんだよ。ロシアとウクライナの小麦を食う日本人なんていないんだよ」って言われました。

末松　農水省は入れたんですよ。入れて、いろいろ使ってもらいましたが、続かなかったんですね。安かったんですけどね。

そういう品質問題もあって、日本の農産物貿易は本当に一極集中になりがちです。基本的なカロリーものに限らず、エビならどこ、チキンならどこ、という感じで。そういうのを日本国内でやればいいんですが、企業は生産適地を海外に見つけてみんな外国に出してしまう傾向があります。でも、それは全ての産業がそうですからね。
あとは外国人の労働者の方々はやっぱり農業も多いですね。

兼原 エッセンシャルワーカーというか、ロボティクスとかDXで代替できない仕事に関しては、日本ではもう外国人労働者が大勢働いてくれています。ヨーロッパの先進国ではだいたい労働力の1割は移民出身者になっています。これほどの比重になると移民の統合問題が社会問題になります。ほとんどの国民が移民を先祖に持つ米国は特殊な例外です。日本はまだ外国人労働者が200万人くらいで人口の約2%ですが、善し悪しは別にして、さらに外国人労働者を導入する方向に進んでいかざるをえないのでしょうね。

第2章　シーレーン防衛（村川豊、岩並秀一）

第２章　シーレーン防衛（村川豊、岩並秀一）

兼原　第1章では、食料とエネルギーの確保について話しましたが、日本は島国ですから、食料もエネルギーもシーレーンの安全があってこそそれぞれの確保が可能です。第2章では、シーレーン防衛について、海上自衛隊の海上幕僚長だった村川豊さんと、海上保安庁長官を経験された岩並秀一さんをお招きして、話を進めたいと思います。

まず、村川さんからお願いします。

村川　シーレーン防衛は、先の大戦の大きな反省もあって、海上自衛隊の創設当初から重要な使命とされてきました。シーレーンが閉ざされれば、戦うまでもなく日本は崩壊します。大陸国であるウクライナのように陸路を通じて物資が入ってくる国とは違い、日本では99・6％の物資が海を通って入って来ます。

海上自衛隊のシーレーン防衛の目的は、一つは海上における物流を確保すること、も

村川豊（むらかわ・ゆたか）

1958年生まれ。81年に防衛大学校（国際関係論学）を卒業し、海上自衛隊に入隊。後方支援の職種である「経理・補給」職域に進み、海上幕僚監部人事教育部長、海上自衛隊補給本部長、海上幕僚副長などを経て、2016年に海上幕僚長に就任。19年に退官。

う一つは同盟国軍である米軍の来援を可能にすることです。そのために、創設当初から一貫して対潜水艦戦を重視してきた歴史があります。先の大戦では多くの船舶が沈められましたが、その半数は米海軍の潜水艦攻撃によるものと言われています。現在では、当時は無かったミサイルによる攻撃や宇宙やサイバー空間における攻撃等もあり、シーレーンに対する脅威の形は複雑に変わってきましたが、潜水艦の脅威は引き続き大きなものがあります。

ただ、シーレーンを守り、海上輸送を確保することは自衛隊だけでできる話ではない。国家として対応策を考えなければいけない時期に来ているのじゃないかと思います。

かつて、猪瀬直樹さんの『昭和16年夏の敗戦』という本を読んだことがあります。開戦直前の昭和16年夏に内閣総理大臣直轄の総力戦研究所に各官庁、陸海軍、民間企業のエリートが集められ、軍事、外交、経済等の側面から対米戦争の展開を予測しました。そして、海上輸送が困難となり日本が敗北にいたる推移をかなり正確に予測していました。結果的にこの研究が活かされることは無かったのですが、本当に残念なことだったと思います。

現在の日本が持つ力でシーレーンをどこまで守れるのか。海上輸送が制限された時に代替手段はあるのか。その結果、国防や国民生活にどれだけの影響がでるのかを国を挙げて検討すべき時が来ているのではないかと強く思います。特に、日本のシーレーンが大きく脅かされる台湾有事を考えると、絶対に同じ轍を踏んではいけないと思います。

民間船会社に残る軍への根強い不信感

兼原　ありがとうございます。次に岩並さん、お願いします。

岩並　シーレーンの安全確保を検討するに当たって、まず海上輸送を担っている日本商船隊の状況を確認しておきたいと思います。現在海上貿易の輸入ベースで見ますと、約6割を日本商船隊が担っています。その日本商船隊は、2022年の年央ベースで2206隻。そのうち日本船籍が285隻で、全体の約13%です。残りのおよそ9割が外国船籍で占められていて、日本船籍1割強と外国船籍9割弱が輸入の6割を担っているという構造です。さらに残り4割の輸入を日本商船隊以外の外国船籍で担っているという状況です。安全対策はその状況を踏まえて検討する必要があると思っております。

村川　これに付け加えておくべきは、第二次大戦の時の苦い教訓です。日本は810万トンの商船と6万人もの船員の方々の命を失っています。あまりにも犠牲が大きかったためか、このことは悲劇として語られることはあっても、いざという時の安全確保のための教訓としては活かされず、日本船員には自分たちを守ってくれなかった海軍に対する根深い不信感のみが残ってしまった。これは戦後も、海上自衛隊に対する不信感という形で残ってしまいました。

２００８年以降、ソマリア沖アデン湾の海賊が多発し、２００９年から自衛隊は海賊対処行動を行っています。これは海上保安庁も一緒にやっています。この海賊対処行動を始める際も、海軍が海賊から民間船舶を守るという世界の海軍ではおよそ当たり前の行動についての法律が日本では整備されていませんでした。２００９年３月から第一次隊が護衛を始めましたが、最初は海上警備行動を根拠に行ったかと思います。海上警備行動ですと、正当防衛程度のことしかできません。海賊船が明らかに商船を追い回しているというような場合もその船体に射撃することもできない。民間船舶からしてみれば、「本当に守ってもらえるのか」との疑念もあったと思います。その後、同年７月に海賊対処法ができて、法的な不具合は解決されたと思うのですが。

ただ、これが自衛隊と民間船舶関係者の間で話をするきっかけとなりました。それまでの間、船舶会社の皆さんと海上自衛隊が、航行の安全について直接話し合いをするというようなことは聞いておりませんでした。しかし、有事になった時、日本が紛争当事国になった時にどうするか、という話は今もまったくできていません。これは何とかしなくてはいけません。我が国が紛争当事国となれば、海賊対処のような甘いことでは済まされなくなりますので。

岩並　いま村川さんが言われましたように、これまでもシーレーンの安全対策は様々な形で実施されてきました。２００９年からのソマリア・アデン湾での海賊対処行動もそうですし、それ以前には、１９９０年代後半に東南アジアで海賊事案が急増したことを

岩並秀一（いわなみ・しゅういち）

1958年生まれ。81年に海上保安大学校本科を卒業し、海上保安庁に入庁。第三管区海上保安本部次長、第二管区海上保安本部長、警備救難部長、海上保安監などを経て、2018年に海上保安庁長官に就任。20年に退官。

受けて、２０００年から海上保安庁の巡視船航空機を東南アジア海域に派遣して、公海上の哨戒と沿岸国との連携訓練等を行ってきました。これは現在も続いています。

遠地での海上紛争の関係では、１９９０年代の湾岸戦争の際に掃海艇が派遣されていますし、２０２０年からは海上自衛隊が情報収集活動を中東でやっています。これは紛争地域での安全対策ということだと思いますが、我が国が紛争当事国ではない事案での対応です。我が国が紛争当事国になった時の安全対策をどうするかは、今までほとんど検討がなされていなかったのではないかと思います。

海上保安庁と海上自衛隊の関係

髙見澤　私が防衛庁に入った時、陸海空自衛隊というのはどういうものかという講義がありました。その時に聞いたのは、陸上自衛隊はマザーユニットである、と。日本全体、自衛隊全体のもとになる存在である。海上自衛隊は何かと言えば、その時の講師は、日米安保のための海上自衛隊であるということを強調していました。だから、第二次大戦の時の教訓と、同盟国軍来援のためのシーレーン防衛という話は、非常に腑に落ちるところです。ところが、当時のシーレーン防衛は基本的に対ソ連をイメージしていれば良かったものが、今はあまりにも多様になってしまった。そこが一つの問題です。

もう一つの問題は、海上保安庁と海上自衛隊の関係ですね。そもそも海上自衛隊は海上保安庁から分離して出来たという出自の問題もありますが、協力関係もかなり紆余曲折があって、盛り上がった時期もあれば、そうでもない時期もあった。私の個人的体験で言うと、中国からの海賊船が来て海保が海上自衛隊の情報が欲しいという時に、それが海上保安庁にうまく伝わらないとか、海上保安庁も自衛隊に航空機やヘリを飛ばしてくれとはなかなか言いにくいという話がありました。北朝鮮の工作船の情報共有の話もありました。海上自衛隊と海上保安庁が一緒に船に乗るようになったソマリアの海賊対処は非常にいい話だと思います。それがさらにどこまで進み、深まっているのか、さらに民間の人たちとの協力をどのように進めていけるのか、考えたいところです。

あともう一つは、便宜置籍船というか、商船隊の話です。この辺りの問題意識は強くあったと思いますが、この間になぜそれほど進んでこなかったのかというところも、私としては非常に聞きたいところです。

兼原　私が外務省に入ったばかりの頃の話ですが、イラン・イラク戦争でホルムズ海峡近辺の海上交通が危うくなったとき、「海上自衛隊が出ろ」という話があって、海自が飛び出そうとしたことがあります。冷戦中は、ソ連が北海道に侵攻してきたとき、陸上自衛隊が音威子府《おといねっぷ》でこれを食い止め、千歳の航空自衛隊もソ連空軍を迎撃する。その間に、米第七艦隊と海上自衛隊が米本土からやってくる米陸軍とハワイからやってくる米海兵隊の輸送船を護衛して、米軍の来援を確実にする。だから海上自衛隊は米陸軍、米海兵隊の来援のためのシーレーンを確保するのが主任務だとされていました。中曾根総理のシーレーン1000海里防衛構想とは、ソ連海軍の行動範囲が1000海里だからですよね。でも湾岸から日本までのシーレーンは6000海里ですから。

しかし、80年代後半になると、「そろそろ冷戦は終わりだ。ソ連という共通の敵がいなくなれば、日米同盟が希薄化する。次の仕事は中東での米海軍との共同作戦だ」という感覚が海上自衛隊幹部の間にあったと思います。その認識は正しかったんですが、当時の栗山外務次官が自衛隊を海外に出すことに慎重だった。彼は自衛隊を別組織に再編して外に出せというような主張をして、自衛隊の顰蹙《ひんしゅく》を買っていました。そこで、「代わりに海上保安庁が行けるか」という話になって、いろいろ検討しましたが、最終的に後藤田官房長官が拒否権を発動されたと聞きました。当時は、まだまだ平和主義が強かったですから「自衛隊は出しにくい。代わりに海上保安庁を出せ」といった変な議論が実際にありました。

海上保安庁には海上保安庁法25条問題というのがあって、同条では海上保安庁は軍事活動をしないことになっている（「この法律のいかなる規定も海上保安庁又はその職員が軍隊として組織され、訓練され、又は軍隊の機能を営むことを認めるものとこれを解釈してはならない」）。海上保安官はあくまで警察官であって戦闘員ではないというのは正しいのですが、この議論にはイデオロギー的な部分があります。

海上保安庁は海上自衛隊より先に、しかも占領中の1948年に生まれました。日本国憲法が出来たのが1947年ですから、憲法誕生の翌年に海上保安庁が生まれた。終戦直後で、冷戦の本格始動前ですから平和主義が非常に色濃く、海上保安庁は絶対に軍事活動をしないということが金科玉条になっていた。実際は、海上保安庁に所属していた旧海軍人が1950年の朝鮮戦争に機雷掃海で参加させられていますが、当時は極秘扱いだった。

冷戦が終わると、国内の雰囲気が変わってきて、一番変わったのが先にお話に出た海賊対処の時ですよね。ソマリアに拠点を置く海賊組織がアデン湾を跳梁跋扈《ちょうりょうばっこ》して、湾岸や紅海に向かう船舶を攻撃し始めた。フランスのサルコジ大統領が唱導して、ＥＵも、ＮＡＴＯも、米国も海賊対処に海軍を出すようになった。最初の海賊の被害船がフランスの船でしたからね。

村川さんがおっしゃるように海上自衛隊も海賊対処に参加した。日本の海上自衛官には司法警察官としての権限がありませんから、海上保安官を海自の護衛艦に乗せて一緒にアデン湾まで行って、海自の護衛艦が海賊を捕まえたら、同乗している海上保安官が逮捕するということをやった。海自と海保の職員が同じ護衛艦に乗って、同じ釜の飯を食うようになった。海上保安庁も随分変わったなと実感したことを覚えています。

第二次安倍政権で、集団的自衛権行使を認めた平和安保法制が成立すると、さらに雰囲気が変わりました。実際の有事の際の海保と海自の連携をどうするかというリアルな話も動き始めました。有事には、海保は防衛大臣の統制下に入ります。この「統制要領」がようやく策定されたのは、つい最近のことです。

私の個人体験を申し上げると、国家安全保障局の次長として官邸に勤務していた時、海自、海保、エネ庁、国交省海事局の四者を呼んで、有事の際のシーレーン防衛、エネルギー安全保障について二度ほど協議しました。ある時、民間の商船会社の話を聞く機会を設けたことがあります。来てくれたのは、ある商船会社の副社長でしたが、もう最初から喧嘩腰なんですよね。「私の方から説明することは何もありません。何か、ご質問は？」っていきなり始まった。全日海（全日本海員組合）はもっとキツいと言われています。戦時中の日本商船隊の強制徴用と全滅の傷跡は今も深く残っています。敗戦後、政府は全滅させた商船隊に一銭の賠償も補償もしなかった。

ただし、実際に船を動かしている海の男たちは、酒を飲むと全然違う。「一朝、事あれば、日本のために船は出しますよ」と言うんですよ。その辺の本音の話ができていないと思うんですよね。

実は私、父親が外航船の船乗りでした。巨大タンカーの機関長です。終戦当時は高等商船学校の学生だったので戦争には行きませんでしたが、終戦間際、爪と髪を切って母親に送ったという話を一度だけ聞いたことがあります。詳しいことは話してくれませんでしたが、多分、学徒として戦地に出ろ、護衛の手薄な徴用商船からなる輸送艦隊に入れと言われたんでしょうね。その前に戦争が終わったので、私がこうして生まれてきたわけですけど、父が戦争に行っていたら私は生まれていなかった。若干この話は身につまされるものがあります。

大井篤さんという海軍の人が本を書いておられて……。

村川　『海上護衛戦』ですね。

兼原　太平洋戦争当時、米海軍は日本商船隊壊滅を目指しましたが、帝国海軍では徴用した商船隊の護衛は二級提督の仕事だと言われて、あまり真面目にやらなかったと書いてあります。多分それは本当で、だから戦争が終わった時に、日本の商船は壊滅していた。しかし、戦後も政府は有事の際のシーレーン防護に真剣に取り組んだことがない。シーレーン防衛に関する限り、政府は先の大戦から何も学んでいないんです。

当時、海自、海保、エネ庁、国交省海事局の四者が集まって議論した時に、分かったことがいくつかあります。初めてこの四者を集めてのシーレーン防衛を議論した会合でした。エネルギー安保を専管で担っているのが経産省ですが、彼らの頭の中にある「有事」は石油危機なんです。70年代の石油危機の時に何としても原油を確保しろという要請があって、そのためにエネ庁が原油の戦略備蓄を始めた。しかし、台湾有事に連動した日本有事については何も考えていない。それは経産省の所掌外だから、ということで。

日本有事の議論を国交省はやっている。国交省はトン数標準税制というのを始めていて、少し税制を優遇するので、いざとなったら最低限の船舶を確保してくれ、と民間に要請しています。例えば日頃の3割程度の原油の海上輸送は確保しなくてはならないという話だったのですが、エネ庁が「そんな話は初めて聞いた。たった3割の石油で日本経済が回るか！」と言って怒ったんですよ。エネ庁と国交省海事局は、日本のエネルギー安全保障のためのシーレーン防衛を一緒に考えたことがなかったのだと驚きました。

自衛隊と海保のジェット燃料は大した量じゃないので、有事になっても燃料工場さえ爆破されなければ何とかなりますが、日本経済全体となると膨大な量の原油が必要になります。台湾有事になったら原油が南シナ海、東シナ海ルートで入ってこなくなる。迂回航路は2倍、3倍の距離になりますし、その分余計にタンカーが要ります。

あと、日本に出入りする外航船ですが、日本商船隊の乗組員はほとんどフィリピン人なんです。フィリピン人船員が台湾有事になっても日本関連船舶に乗船してくれるのか、という問題がある。ある日本人の船乗りさんは、「フィリピン人は、迂回航路が安全で給料が高ければ乗りますよ」と言っていましたが。

また、阪神・淡路大震災で神戸がやられた後は、神戸に代わって釜山がアジアの港のハブになっています。釜山で荷下ろしした多くの貨物が日本の各港に運ばれてくる。台湾有事に東シナ海、南シナ海が通れなくなって困るのは韓国も同じです。韓国とも話しておかないといけませんが、こういう議論もできていない。

有事にはタンカーが足りなくなる

髙見澤　シーレーン防衛は一番オペレーショナルな部分に近いし、また有事ということでもすごく議論されてきたので、内政外政一体型の対応ができると他の分野にも応用できそうですね。逆にシーレーンでそれができないと、他でも何もできない。

兼原　中国は孫子の国ですから、本気で戦争するとなったら、こちらの一番弱いところに切りかかってきます。としたら狙われるのはエネルギー動脈です。備蓄タンクを攻撃し、タンカーを4～5隻沈めて回ったら、日本人はビビりまくりますよね。その時どうやって生き延びるかを考えなくちゃいけない。

航路は海の上ならどこでも通せるので、南シナ海、東シナ海が使えなければ、迂回した航路を取ればいい。韓国も台湾も同じです。

村川　今のようにマラッカ・シンガポール海峡から、南シナ海に入り、バシー海峡を通って日本まで来ることが不可能になると、ロンボク海峡からフィリピンの太平洋側を通ることになるでしょう。でも、それすら中国の主張する第二列島線の内側なので危ないとなれば、中東からオーストラリアの南を通って太平洋に出て、島嶼国家の辺りを北上し、西太平洋から日本に来るルートを取ることになると思います。しかし、そうすると距離は倍近くになる。距離が倍になるということは、タンカーの数が同じなら入ってくる油の量は半分になってしまうということです。

それが堪えられないのであれば、国内外の備蓄を増やす、例えばオーストラリアなどにも備蓄できるような工夫をすべきかと思います。自衛隊も遠方においてシーレーン防衛を行うためには、補給拠点なども必要になってくる。

兼原　輸入原油の量を減らさないようにするには、余計に船が要る。韓国も同じ状況になります。有事にはものすごく高い金を払って、世界中の国がタンカーを搔《か》き集めることになるのではありませんか。タンカー会社は儲かるでしょうが。

また、南シナ海、東シナ海、バシー海峡を通らない西太平洋回りの迂回ルートであっても、伊豆半島から小笠原諸島に連なる第二列島線の西側は戦闘海域になる可能性があり、中国の潜水艦に攻撃されない保証はないので、船舶保険が付かなくなるかもしれない。船舶保険が付かないと船主は船を出さないので、そこは日本政府が保証を付けるしかない。

岩並　今のお話とも関連するんですけれど、そもそも有事になった時に、日本商船隊がどのような動きになるのかをまず考える必要があると思います。現行の国内法制では、戦前のような徴用規定はないわけですし、海上運送法の第26条に、災害の救助等のために国土交通大臣が船舶運航事業者に対して航海を命ずることができるという規定がありますけれども、これは有事には適用できないと解釈されています。

また、過去の最高裁の判例で、いわゆる危険海域を航海するに当たっては船員に乗船を強要できないという判決が出ていますので、仮に有事となった場合、航海そのものの実施の可否、あるいはどういった航路を取るのかといった判断は、あくまで海運会社によらざるを得ない。ですから、船舶保険の問題を含め、どのような対策を取れば海運界の方々が国際海上輸送を続けられるのかを考えておく必要があると思います。

兼原「政府に徴用されてやるのは絶対に嫌だけれど、日本のためなら一肌脱いでやってやろうか」という感じではないでしょうか。海の男たちの本音は。

岩並　確かに、イラン・イラク戦争等の海上紛争時にあっても、日本商船隊の船舶には、ロケット弾や銃撃による被害を受けながらも国際海上輸送を続けていただいています。

あともう一つは戦時の国際法。これは皆さんのほうがお詳しいと思いますが、これまでに策定されている様々な関連条約がありますし、各国海軍の手引きとして使われることを想定して、1994年に各国専門家により策定されたサンレモ・マニュアルも参考になると思います。それらの規定によると、いわゆる敵国に護衛された商船は攻撃対象になりますし、敵国の商船は臨検なしに直ちに拿捕ができるとなっています。そういった戦時の国際法を海運業界がどう判断して動くのか、また、それらを踏まえた安全対策をどうするのかということも考えておく必要があると思います。

紛争当事国との関連で、商船隊の中の日本籍船と外国籍船がどう動くのか、あるいは日本商船隊ではない外国の商船隊がどう動くのか。こういったことも分析しながら対策を取る必要があるのかなと思います。

兼原　海戦法規ですね。最近は、戦争法規は国際人道法と呼ばれます。国際人道法の基本発想は、中立国を戦争に巻き込むと不用意に敵を増やし、かえって不利になるので、中立国船舶については交戦国が臨検することまでは許されていて、禁制品（コントラバンド）を積んでいれば、拿捕して没収です。例えば敵に渡す武器を積んでいる船は、中立船舶であっても拿捕して審検にかけて武器を没収する。中立国のビジネスマンは、紛争当事国の双方乃至一方に対して、武器等の禁制品を売るのは自由です。但し、拿捕、没収の危険があるということです。そういうルールですよね。

台湾有事に際しては、日本は米軍に基地使用を認めますし、自衛隊も後方支援か、集団的自衛権行使の形で台湾有事に関わるでしょうから、日本は中立国ではありません。中国から見れば、全ての日本籍船は敵性国家の部類になります。

交戦国にとって、敵国の船舶は、重要インフラの一部なんですよ。だから基本的に潰して構わない。軍艦、軍が徴用する船舶は正当な攻撃対象です。防衛大臣の統制下に入った海上保安庁船舶も攻撃対象になる。純粋な民間商船は、基本的に攻撃対象外ですが、それでも敵が飢餓作戦を採用して日本列島に海上封鎖をかければ、封鎖戦を突破しようとする商船は、敵国の船舶はもとより中立国や第三国の船舶であってもすべて撃沈されます。

病院船の様に赤十字の旗がかかっていたらやれないですけれど、船そのものは重要インフラなので基本的には潰すという発想です。病院船だって、卑劣な敵なら「武器を積んでいる」というフェイクニュースを流して攻撃しないとも限らない。最近の対艦ミサイルは性能が良いので、船舶の運動性能を凌駕します。戦闘海域では、最終的には水上艦艇はすべていなくなり、潜水艦だけが生き残るのかもしれない。

岩並　であればこそ、海運業界はより慎重な判断になってくるのではないでしょうか。

兼原　ええ、だから安全第一だと思います。南シナ海、東シナ海を通る日本のシーレーンは、資源エネルギー供給源である豪州への航路、スエズ運河経由の欧州への航路、そして、原油動脈である湾岸への航路の3本です。この三つのシーレーンを通る日本関連船舶に、西太平洋を思い切り東側に大回りして日本に来てもらうことになる。本当に安全を第一にするのであれば、湾岸、欧州へのシーレーンについては、インド洋を南下して豪州の南極側を通るとか、そんなことも真剣に考えなきゃいけないと思います。

NATOでは民間船に軍人が乗りこむ

村川　髙見澤さんから、海上保安庁と海上自衛隊の情報共有はどうなっているんだというお話がありましたけど、先ほど申しあげた海賊対処もありますし、尖閣諸島周辺では海上保安庁が前面に立ち、海上自衛隊はその後詰めをしています。現場では緊密に情報交換もしていますし、連携もしています。今回、有事には防衛大臣が海上保安庁を統制することも明確となりましたので、その訓練も行っていると思います。現場に行けば行くほど、親密な交流をしていて、昔とは違うと思います。一方で今の情報共有は、あくまでも平時の任務が前提となっており、改善の余地があると思っています。

要するに、有事を想定した情報共有になっているかと言えば、まだそこまではできていない。海上自衛隊と海上保安庁を結ぶ情報システムを強化するとともに、人を通じての情報のやり取りにも工夫の余地があるのではないかと思います。

海運関係の皆さんとどのように情報共有するのかは難しい問題です。岩並さんがおっしゃったように、「敵国に攻撃の口実を与えてしまう」と恐れるがあまり、自衛隊との連携に躊躇することもあり得ると思います。

例えばＮＡＴＯでは、軍当局と海運コミュニティが「NATO SHIPPING CENTRE」において、平素から有事にいたるまで情報交換を行い、運航に関する援助が行なわれています。海上における軍事行動は商船の関与なくしては考えられず、また、軍の作戦が商船の行動にも大きな影響を与えることが、相互に理解されているからに他なりません。特に、日本が紛争当事国となった場合、日の丸を掲げて航行する、或いは日本に物資を届けようとする以上「自衛隊と関わらなければ安全」ということはありません。そうであれば平素から意思疎通を行うべきだと思います。ＮＡＴＯでは、退役軍人に秘匿可能な通信機を持たせて商船に乗船させるなど、軍民が協力して危険を回避することが考えられているそうです。そして、これらの協力を通じて商船の安全を確保することが、結果的に保険料を削減する可能性に繋がるとまで言及されています。

兼原　ちょっと話が変わっちゃいますが、台湾に封鎖がかかる時、中国は、はじめはフェイクニュースを活用して、屁理屈をつけて、柔らかい封鎖をかけるかもしれません。「台湾にパンデミックが発生したから、外国船舶は衛生上の理由から中国領の台湾に入ってはいけない」とか。

その時に中国と合意して、最低限の人道物資の搬入とか、外国人の退避とかのために、人道回廊を開けることができれば、日本の民間船は丸裸で南シナ海や東シナ海に入っていくことができます。しかし、日中の間に合意がなかったら、武力で護衛して船舶を出すしかない。数万人の台湾在留邦人は、そこまできな臭くなったら、とにかく早めに航空機で日本に戻ることですね。

しかし、10万人を超える先島住民は、台湾有事が本格化する前に、何としても避難させなくてはならない。生活基盤が先島にある島民の方々を、沖縄県の他地域や本土に避難させるという話ですから、大変な話になる。台湾有事はグレーゾーンから始まりますから、タイミングの見極めも難しい。その時に商船や海上保安庁の巡視船を使うとしたら、武力で護衛して守るしかない。こっちが裸になったら中国は撃たないというのは幻想で、彼らはどうせ撃ってきます。

有事に際して、国交大臣の下を離れて、防衛大臣の統制下に入る海上保安庁と海上自衛隊の協力、および役割分担も、詰めて考えておかないといけません。大型巡視船の数は日本が80隻、中国が150隻。軍艦の数は日本が50隻、中国が350隻です。米海軍が参入しますが、基本的に船が足りません。

有事になれば海上自衛隊は中国海軍にかかりっきりになります。その時、海上保安庁は戦場を離脱しなければならない。尖閣で撃ち合いになったとして、海保職員は法律上、最後まで警官のままなので正当防衛しかできないから、中国に撃たれてからじゃないと反撃できない。しかし、中国海軍も、海軍隷下の中国海警も、戦闘員です。戦闘では、彼らは最初からこちらの海上勢力の殲滅を狙ってきます。

残酷な現実を申し上げれば、日本関連船舶の護衛には十分な船は回せない。戦場近くを通られたら護衛は不可能です。中国の潜水艦やミサイル艦艇を相手にすれば、攻撃されればまず逃げられない。護衛も形だけになる。だから、迂回ルートしか答えはない。海上自衛隊ができることは、日米海軍の力で一刻も早く中国海軍を潰して、西太平洋の海上優勢を取ることです。そこがやれないと、かなり被害が出てしまうかもしれない。

村川　海上自衛隊の船が足りないので海上保安庁も戦ってくれというのは、できない話です。そこは今まさに行われている防衛大臣の統制の中で、それぞれの役割をどう分けていくかということになるかと思います。

兼原　台湾有事にはおそらく、軍人だか民間人だか分からないような中国の民兵が漁船に乗って大量にやってくるでしょう。中国海警の船も76ミリの軍艦並みのでかい大砲を積んでいる。そういうのは海保の船では対処しきれない。海上自衛隊は護衛艦が足りない。だったら最初からドローンのスウォーム攻撃（バッタの大群の様にして襲い掛かる攻撃方法）で全部潰しちゃうとか、別のことを考えないといけない。

髙見澤　平素からの体制をどういうふうに作っておくかというのが、おそらく事前の情報を把握するという意味でも、何か緊急事態が起きた時に早めの対応を取るという意味でも、すごく大事だと思うんですね。

これからのことを総力安全保障的に考えると、とにかくあらゆる形で情報を集めて、その状況をできるだけシェアしていくというアプローチにする。自衛隊の組織の中にも民間の専門家を受け入れ、逆にいろんな部門に自衛隊の専門家がいるというような状態を作って、普段からの協力関係を作っていくべきだと思います。

だからそれを可能にするような身分関係とか、給与体系とか、情報システムのあり方とか、そういうことを整備していく。戦争になったらどうするかという大きな話は当然しなきゃいけないんですが、そこに行く前に、どうやったら普段からの情報共有ができるのか、そういう観点からのアプローチが必要かと。

兼原　普通の国では各省庁にみんな軍人が顧問として入っていますよね。有事になれば、当然、国家防衛に全ての官庁が関わることになる。本当は各省庁の中枢にある政策課に、軍事顧問としての自衛官がいるのが当たり前なんですよ。日本政府もそうした形に持っていかないといけないと思います。

海保と海自の連携はもっと深めるべき

岩並　海自と海保の連携の話ですけども、髙見澤さんは波があったとおっしゃいましたが、私は一直線に強化されてきたというイメージを持っています。確かに仲がいいとは言えない時期があったと思いますが、まずは1999年の能登半島不審船事件の後に、不審船対応の共同対処マニュアルができて定常的に訓練を行うようになりました。情報の交換もより緊密に行われるようになったのは大きな一歩だったと思います。

次が、村川さんも言われた海賊対処行動で、常時8人の海上保安官が海賊を逮捕した場合の司法警察活動のために自衛艦に乗って、ソマリア沖・アデン湾に一緒に行っています。それで半年同じ釜の飯を食い、船内でコミュニケーションを取っているので、帰ってきてからの繋がりも非常に強くなっている。あれでさらに連携が深まりました。今回、有事の際に防衛大臣が海上保安庁を統制する際の統制要領ができて、それを運用していくために訓練を重ねることになりますので、連携はさらに深まっていくと思います。

ただ先ほど村川さんが言われたように、まだ設備、特に情報共有のハードの部分が必ずしも追いついていないので、ここは強化していかなければならないなと思います。

髙見澤　私が波があったと言ったのは、連携の強化が平坦というか、停滞しているプラトーみたいな時期があったと感じているからです。確かに下がってはいないんですけど、これから一挙に上がっていくかなと思うと平坦になってじっと我慢みたいな時期があった。全体として右肩上がりと言えば右肩上がりなんですが。

兼原　日本の安全保障関連の仕事って、いつもそうですよね。何か一朝事があるとドーンと前に進むんですけど、その後ピタッと止まって、また何か事件があるとドーンと前に進む。安全保障問題では、冷戦下では社会党、共産党は東側陣営寄りでしたから、政府が安全保障面で何をやろうとしても反対一辺倒だった。

左派勢力の間では、自衛隊も、日米安保も違憲だという議論がまかり通っていましたから、かつて海保と海自の仲が悪かったと言われたのは、二つの組織の仲が悪かったというよりも、かつての国交省（運輸省）本省に幾分イデオロギー的な平和主義の空気があったことが原因だと思います。「海保は自衛隊と連携するなんてことはやっちゃいかん。国会で野党に問題にされるから」といった消極的な雰囲気が本当にありましたから。

2012年晩秋から中国海警の公船が大挙して恒常的に尖閣諸島に押しかけてくるようになりました。ベトナムやフィリピンは、その前から中国にいじめられていましたが、米国の筆頭の同盟国である日本に対して手を出すとは思わなかった。その直後から、海保は尖閣専従体制を敷いて、毎日、中国海警を尖閣領海から押し返すようになった。中国海警は、日本漁船の尖閣領海内操業を妨害しますからね。ちょうど第二次安倍政権ができる直前です。第二次安倍政権成立後から、安倍総理に「直ちに尖閣防衛をちゃんとやってくれ」と強く言われて、海保と海自の協力関係が加速度的に進んだと思います。

海保と海自の情報共有も進み始めた。但し、情報関連のシステムが全く違うので、情報共有と言っても技術面のご苦労が多いと思いますが。

村川　連接はしているんですけれども、それが有事に対応できるようなものかと言われれば不安がある。平時であればそれでもいいんだと思うんですが。海保の立場から岩並さんがどう考えられるか分かりませんけれども、私は、有事になった場合には、海上自衛隊の作戦を実施する自衛艦隊司令部などに、海保の連絡員（リエゾン）に入ってもらう、あるいは平時から派遣していただいてもいいんじゃないかと思います。

兼原　いいんじゃないですか。横須賀の自衛艦隊司令部は特定秘密の塊ですけど。

村川　そこはセキュリティクリアランスをしっかり確保すればいいと思います。

兼原　それはいいと思いますね。外務省は純粋な軍事作戦からは遠い世界にいるんですけど、時々そういう世界に関わることはあります。9・11米国同時多発テロの後のアフガン戦争で、海上自衛隊が給油作戦をやることになった。海上自衛隊も連絡官を出してくれという話になった。そこで、初めて海上自衛隊の人たちと一緒にタンパの米中央軍司令部に行ったんです。生まれて初めて実戦中の作戦室に入りました。私たちのような外交官は滅多に入れませんけど、あそこにいなければ戦闘の現実は分からない。

岩並　村川さんの言われた提案は非常にいいことで、連絡員の派遣により情報共有が更に進むと思います。ハードをいじるのには時間がかかりますが、人的な対応は、あまり時間をかけずにできると思います。リエゾンの派遣が多分第一歩になると思います。

兼原　横須賀の自衛艦隊司令部に海上保安庁職員を1名常駐させられたらいいと思います。

村川　あとはセキュリティクリアランスの問題です。

兼原　特定秘密はもう法律的に守られているので大丈夫なのですが、特定秘密以外の、もう一段レベルの低い防衛秘密を守る仕組みが国家公務員法しかない。国家公務員法では禁錮1年、罰金50万円が最高刑です。特定秘密法の罰則は懲役10年、罰金１０００万円です。特定秘密以外の防衛秘密について、しっかりした秘密保全の法的仕組みがないので、多分それが障害になっているんですよ（注　２０２４年4月の段階では、更にセキュリティクリアランス制度に関する法案の国会審議が予定されている）。

海自と海保に限らず、日本は、市ヶ谷の自衛官・防衛官僚と霞が関の官僚の間の相互乗り入れをどんどんしていかないといけません。ちなみに米国務省の外交官は、国防総省や世界中の米軍司令部に外交顧問として入っています。外交と軍事は国家安全保障にとって車の両輪ですから、当然のことだと思います。外交官と軍人は、一対だと考えるべきです。外交官だけではなく、総力戦になれば、全ての官庁が有事にかかわるわけですから、米国のように官界のあちこちに自衛隊員を軍事顧問として置く仕組みを霞が関全体でやらないと、いざという時に戦えないですよね。

髙見澤　我々OBや民間の人も含めて、そういうクリアランス制度を作らないと。各国のOBといろいろ議論している時でも、彼らは辞めてもちゃんとした情報を得ながら議論していますが、日本の我々のほうは辞めると何もない。議論が盛り上がらないというか、向こうは突っ込めないですよね。おそらく海外のOBは、そういう制度でちゃんと情報も収集しているし、議論もしている。かつ、それが何かあった時の予備兵力にもなる、メンター的な。政府としても何かあった時にOBも動員しやすいわけですよ。

村川　諸外国では退役しても軍人は引き続き退役軍人としての地位を有しています。自衛官は退官すれば制服もすべて返納し、完全な一市民の立場になってしまいます。機微にわたる情報どころか、広く公表可能な内容であっても、現役自衛官から説明等を受ける時には許可を得なければなりません。自衛官はそれぞれの立場に応じた情報にアクセスできるクリアランスを有していますが、退官と同時にすべて失効してしまいます。高見澤さんのおっしゃるとおり、非常にもったいないと思います。何らかの形で自衛隊を支援しようと思っても現実には難しい。

兼原　予備役の方って制服はないんですか？

村川　退官時に志願して認められれば、予備自衛官になることはできます。予備自衛官になれば、階級が与えられ制服も貸与されます。それ以外の者は退官時にすべて返納します。

兼原　じゃあ動員がかかったら、どういう服装で市ヶ谷や横須賀に帰ってこられるんですか？

村川　予備自衛官であれば招集されますし、当然制服も着用します。それ以外の退官者は一市民の立場となりますので、かつて自衛官であったということを理由に退官した者を動員することは想定されていません。もし、再び自衛官として活動する必要があるのならば、何らかの形でもう一度採用する方法を考えなければなりません。退役軍人としての地位というものはなく、まったく一般の公務員と横並びの発想だと思います。

兼原　予備役の動員ってそういうことなんですね。

村川　予備自衛官の種類には、自衛隊出身者を採用する「予備自衛官」「即応予備自衛官（招集を受けた場合は、あらかじめ指定された陸上自衛隊の部隊で勤務）」と自衛官未経験者から採用される「予備自衛官補」があります。平素は企業等で勤務していても、毎年、決められた訓練に参加することが定められています。これらの制度は、有事等において所要の人員を確保するため、今後、より重視されると思われますが、現状は人も集まらず、まだまだ不十分です。

兼原　自衛官、特に海上自衛官は、処遇を何とかしないと、もう船乗りがほとんどいないんですよね。外航船はもう外国人スタッフ、フィリピン人に切り替わっちゃっていますし、内航船はおじいちゃんたちだらけでやっているんですよね。

海上保安官はまだ映画の『海猿』効果が続いているから、募集の際に若い人が集まると思いますけど、海上自衛官は、処遇問題を本当に真剣に考えないと、海上自衛隊で働こうという若者が集まらないですよね。かつての軍人恩給とか復活したらいいと思うんですよね。軍人とは特別な危険を伴う仕事なわけですから。

民間人による自衛隊への協力

髙見澤　一方で、もう少し違う形で自衛隊に協力してくれる人がもっと欲しい。ちょっと前に、サイバーの関係でいろんな細かい説明をしてくれた弁護士に会いました。彼は技術専門家で、普通の法律事務所に勤めているんですけど、予備の自衛官でもあるんです。専門職でかつ予備自衛官。いざという時は私の知識、技能を使ってください、私もやりたいですという、そういう制度はあるんですよね。そういうのがもっと広まっていけば、いろいろ協力関係はやりやすくなると思うんですけど。

村川　「予備自衛官補」制度ですね。医療関係、語学、サイバー、弁護士等の技能を有する方に自衛隊の不足する機能を補ってもらうためのものです。

兼原　商船の船員って、やっぱりまだ無理なんですかね。

村川　「予備自衛官補」の技能資格の中にはないかと思いますが、来ていただけるのならありがたいと思います。ただ、船員の皆さんに海上自衛隊に来てもらうには難しい背景もあったのだと思います。

兼原さんのお父様は商船学校のご出身と伺いましたが、戦前は、商船学校を卒業すると海軍予備員に任命されました。平素は商船を運航していても、有事の際には軍民双方の物流を確保するために海軍の一員として働かせる。厳しい言い方をすれば、海軍の都合で船員を使うことができたわけです。

しかし、その結果、多くの船員の方が亡くなられた。商船の乗組員の死亡率は確か四十数%です。海軍の軍人は16%ぐらい。つまり倍以上の戦死率です。繰り返しになりますが、それが、戦後長きにわたって海上自衛隊と商船関係者との関係を複雑なものにしてしまったのだと思います。

兼原　上皇陛下、上皇后陛下が行かれた日本郵船の歴史博物館が横浜の「みなとみらい」にありますが、そこで戦争で徴用された商船隊の生き残りのおじいちゃんの証言をビデオで見たことがあります。彼は、「みんな10代の子どもだった」と言うんですよね。「みんな暗い船倉で家族の写真を見て泣いた。真っ赤に目を泣きはらしてデッキに上がったら、それでも全員びしっと敬礼して出て行った。それっきり、みんな死んでしまった」と言うんです。平均年齢が20歳前後だった知覧の陸軍特攻隊や鹿屋の海軍特攻隊と同じです。4000人近い特攻隊員が、国のために任務に向かって散華し、家族を思いながら群青の海に沈んでいった。しかし、６万人の商船隊員は、英霊にもならず、靖国にも祀られず、賠償金も出なかった。戦後の長い間、商船会社や海員組合の双方に、政府に対する強いわだかまりがありましたよね。

現在、政府は、南西方面へ向かわせる自衛隊輸送船団は、自前で確保しようとしています。商船に軍用のために徴用をかけるようなことはもうあり得ないですが、逆に、通常の海運業務に従事する商船の防護はしなくてはならない。タンカーが油を運ばないとこの国は干上がってしまいます。商船の安全をどう守るかという話も、そろそろ政府としても出していいんじゃないかと思います。商船を徴用する話じゃなくて、守らせてくれという話なんですから。

あと外航船を自衛隊の仕事に使わせてくれと言うといまだに嫌がられると思うんですが、内航船は使えないですかね。内航船って小さい会社が多くて、船の数がやたら多いんですよ。民間の内航船って自衛隊が全然使えていないと聞いているんですけど、自衛隊の貨物を運ぶ時、内航船にお願いして、注文を増やして、少しずつ雰囲気をよくしていくと言ったらだめでしょうか。

村川　物資を輸送する際に、民間船舶も利用しています。例えば、国内の各基地へ製油所に保管している燃料を輸送する場合などは、民間船舶にもお願いしています。

兼原　油を全国の基地に持っていくのは民間がやっているんですか?

村川　自衛隊の艦艇が行うこともありますが、民間船舶にお願いすることもあります。

兼原　知り合いの商社の人が言っていましたが、以前、日本商船は外洋で護衛艦とすれ違っても素通りだったが、海上自衛隊による海賊対処支援が始まってからは、日章旗を掲げて、汽笛を鳴らして、デッキで護衛艦の乗組員に手まで振るようになった、と。だから徐々に雰囲気も変わってきていると思うんですけどね。

村川　私が入隊したころは、日本船舶はほとんど敬礼（国際慣習として、船舶が軍艦と行き交う場合に船籍旗を半旗として敬意を表すこと）をしてくれませんでした。今は多くの船に敬礼をしてもらえると聞いています。海賊対処行動等の影響が大きかったのではないかと思います。船主協会の皆さんも、毎年のようにジブチの拠点に激励に来られるなど、以前に比べれば隔世の感があります。

岩並　海自と海保の連携体制に合わせて、経産省、国交省などの関係省庁や、海運業界まで含めた情報交換の場が必要になってくると思います。ただ、その時に、先ほどから話が出ている大戦時の記憶が海運界にありますので、海運界の方々に懸念を抱かれないような形での情報交換の枠組み作りが必要なのではないでしょうか。

兼原　私たちの国家安全保障局が商船会社の幹部をインタビューに呼ぶと、そもそも「国家安全保障」と書いてある看板に拒否反応が出てしまう。国交省海事局にうまく話をしてもらって、船主協会あたりからゆっくり説得していかないといけません。

イラン、ハマス、フーシ派

兼原　最近、イエメンのフーシ派が紅海を通過するイスラエル関連船舶に攻撃を加えています。一番初めにやられたのは日本郵船の船ですが、所有者はイギリスの会社で、そこにイスラエルの資本が入っているらしい。イスラエルの資本は自動車関連の輸送船にすごく入っているらしいです。

紅海は、アデン湾からスエズに抜ける一番大事なところですから、当然アメリカは放っておかない。米英他の海軍が、イエメンにいるフーシ派を爆撃し始めました。ここで、海洋国家である日本が何もしないというわけにいかないと思うんですよ。国際部隊で一緒になって守ろうという話をしていかないといけません。これほどシーレーンに依存している日本で「海上自衛隊出るべし」という議論が全くないのは不思議です。ジブチには海上自衛隊の基地もあるのに。

村川　海上自衛隊は、ソマリア沖・アデン湾において第151連合任務部隊（CTF151）の枠組みの中で、各国部隊と連携して海賊対処行動を行っています。今回の場合、紅海の海上警備は第153連合任務部隊（CTF153）が対応しています。仮に、この中に日本が入るのであれば、フーシ派とは準国家組織なのか、それとも単なる海賊と同等の組織なのかを判断し、準国家ならば新たな法的枠組みを作る必要があると思います。これには時間がかかるのではないでしょうか。ただ、自衛隊が各国との連携を中東地域で10年以上行ってきた実績は、非常に強いものがあると思いますし、今のままでも海上自衛隊部隊が貢献できる余地はあると考えます。現地ではCTF153とも情報交換をしつつ活動していると思います。

岩並　今回の攻撃をどう見るかで変わってきますよね。海賊という犯罪行為と見るのか、あるいは武力紛争上の戦闘行為の一環と見るのか。国際法上の海賊という括りであれば、犯罪としていずれの国でも処罰ができますので、やりやすいと言えばやりやすいですが、今回の攻撃が国際法上の海賊に当たると判断するのは難しいところです。

髙見澤　今回のハマスの攻撃の時には、国家安全保障会議が開かれていない。この前、国家安全保障会議の開催状況を国際安全保障学会で報告した人がいて、私も調べてみましたが、それまでの半年で5回か6回程度。しかも、ほとんどが北朝鮮のミサイル関連です。総理のご関心にもよると思いますし、静かに議論をしているのかもしれませんが、これではちょっと不十分じゃないかなという感じがします。

村川　シーレーン防衛は、シーレーンの沿岸国に期待しなければならない部分がたくさんあります。たとえば中東から日本までのルートを考えれば、その航路上にはインドやオーストラリアもありますし、東南アジア諸国もあります。また、この地域に権益を持つ米、英、仏との連携も考えねばなりません。様々な国との協力は不可欠であり、今回のような件でも、日本だけが見て見ぬふりをすることは無理なように思います。

兼原　シーレーンって地球的規模の公共財ですからね。

村川　そうなんです。これまで、シーレーンが脅かされると日本がどのように苦しくなるのかという話をしてきましたが、いずれの国も同様にシーレーンの確保が必要となるわけで、沿岸国を味方につけられるか否かは大きな問題です。これは中国も同じです。

兼原　アメリカは中国に勝てばいいと思っていますけど、私たちは戦争を始められるとすぐに酷い目に遭う前線国家です。だから中国に、戦争が始まったら「おたくも酷いことになるよ」とわかってもらわないといけない。

北西太平洋でのアメリカの同盟国は日本とフィリピン、韓国、タイです。米国は、台湾関係法という国内法で台湾も守る仕組みになっています。タイを除く北西太平洋の米同盟国と台湾が、台湾有事の際の前線国家になります。日本は西太平洋を大回りに迂回すれば安全なシーレーンを確保できます。韓国、フィリピンもそうです。しかし、南シナ海の奥まったところにあるベトナムはすごく困ると思います。

中国は自前の商船隊を持っていて、船舶保険も自分でつければいいわけですから、中国関連船舶は、南シナ海も東シナ海も通れます。但し、そうなったらアメリカは大陸封鎖でやり返すと思います。

村川　そうですね。

兼原　この間、あるところでアメリカ人がやったシミュレーションを横で見ていたんですが、戦争の前に経済制裁を想定していました。経済制裁にはグラデーションがあって、一番キツい制裁措置は「Nuclear Option」と書いてある。その一つにＳＷＩＦＴから中国を外すこと、中国の主要企業のドル決済を拒否することがありました。もう一つは、エネルギー関連の海路を塞ぐこと。まさに大陸封鎖ですよね。

村川　そうなれば長期戦になると思います。中国の経済的な損失も増え続ける。そこで慎重になって武力行使に至らないのが一番いいんですけどね。

海洋に関する国際的な情報共有

髙見澤　最近、Maritime Domain Awareness（ＭＤＡ：海洋状況把握）というか、情報共有の話が出てきていて、かなり進んでいるようですけど、どんな感じなんでしょうか。つまり民間の情報もあれば、軍の情報もあれば、海上保安庁みたいな情報もあると思うんですが、その辺の情報をシームレスに共有するような、それも多国間でやるような体制というのはかなり進んできているというふうに評価されますか。

岩並　多国間の連携については、まだ取っ掛かりの段階だと思います。海洋に関連する様々な情報を効果的に収集・集約・共有しようとするＭＤＡの体制づくりはアメリカが主導して始まったわけですけれども、日本もようやく数年経って、情報の集約・共有体制の構築がかなり進展しました。東南アジアの国などはまだＭＤＡの体制づくりの状況で、日本はそのハードやソフトの支援を行っています。

各国のMDA情報を繋ぐ取り組みについては、情報を集約するセンターのような組織がいくつか、例えばシンガポールとかインドにできていますけれども、それは主に海軍の勢力を中心とした情報の共有体制です。それもまだスタートの段階と言うか、少しずつメンバーが増えてきているような状況だと思います。また、インド太平洋諸国のMDA能力の向上支援を行う「海洋状況把握のためのインド太平洋パートナーシップ」(IPMDA)と呼ばれる取り組みも、日米豪印が連携して進めています。その他、海上保安庁では、各国のコーストガード機関との間でMDAの分野での連携を進めていこうという話をしている段階です。

このように、現在は、各国が国内のMDA体制を構築、強化するとともに、その連携の取り組みが様々な形で動きつつあるといった状況ではないでしょうか。

兼原　10年前に内閣官房の総合海洋政策推進事務局(今は内閣府所属)に甲斐正彰局長、それから羽尾一郎局長という2代の傑出した局長がおられて、彼らがMDAをやると言い始めたんですよ。甲斐局長は実際にアメリカのMDA本部に行って、日米調整を行ってきた。MDAは海軍系列の軍用と海保系列の民生用に分かれるわけですが、それを束ねる部署が米政府にはあって、それを総合海洋政策推進事務局がやると言っていました。

今、動いている商船の動きについては、既に「海しる」という海保が作っているサイトがあります。リアルタイムで船の動きが把握できます。それ以外にも海温とか塩分濃度とか、政府の各部署でいろんな情報を集めているんです。海自・海保以外の省庁が持っている海関係の情報っていっぱいあるんですよ。あれを全部集約すると言って、MDA推進の閣議決定を何本も打ったのですが、総合海洋政策推進事務局はMDAの話をいつの間にかやめてしまった。第二次安倍政権の末期に、内閣官房長官直属の組織だった総合海洋政策推進事務局を、内閣官房（総理官邸）から内閣府に降ろして海洋大臣の下に置いたことが間違いでした。海洋大臣と言っても、他の業務と兼務ですし、内閣府は一省庁にすぎず、総理直結の内閣官房の様に政府の上級機関ではありません。政府のトップが国家安全保障に直結する海洋政策全般を統括して見ないといけないと思うんですが。

岩並　第4期海洋基本計画の中にもそのMDA能力の強化ということが入っていますし、2018年に総合海洋政策本部が策定したMDAの能力強化に関する文書がありまして、今般、その改訂が行われています。これらを踏まえて、今後、無人の航空機、衛星等の活用や国際連携・協力が進展すると思います。

高見澤　デジタル庁がどう考えているか分かりませんが、地図データを標準化して共有できるような基準を設定しておかないと大変じゃないですか。省庁によって違うシステムになっていますから。

兼原　それこそ総理官邸の仕事ですよね、日本政府に横串を刺す仕事ですから。

岩並　兼原さんのお声掛けで構築を進めていただいた「海洋状況表示システム」、通称「海しる」という海上保安庁の海洋情報部が運用するシステムに海洋に関する情報をできる限り集めるということになっています。

兼原　あれ、リアルタイムで、動いている船の位置が分かるんですよね。

岩並　はい、それも3層構造になっていて、一般の方も使う層と、政府の中で情報共有する層と、あとは特定の政府の部内で共有する3層構造になっています。

高見澤　気象庁の情報なんかも、すごくデジタル化が進んでいるんですよね。国土地理院もそうですよね。要するに、民間に頼っているというか民間の力を活用しているところは非常に整備されている。

村川　「海しる」はかなり充実してきていると思います。岩並さんがおっしゃったように、安全保障上守るべき情報は一般の方は見られませんが、例えば潮流など自衛隊から漁業従事者まで誰もが利用できるデータも充実してきています。

これまで、船は通信弱者と言われ、大容量の通信が基本的には難しいとされてきました。衛星コンステレーションなどの出現により、それが急速に変わってきているように思います。ウクライナにおける戦闘では市民が自分のスマホを使って情報を発信していますが、マスコミのみならずウクライナ軍はそれらを情報として利用しています。同じようなことが海でも起こるかもしれない。例えば、漁船が不審な船などを見つけたら、それを動画で発信することも可能になるでしょう。そうした情報の集積が、安全保障にも活用できるかも知れません。

もちろん、有事に敵の軍艦の情報を通報し発見された場合には、攻撃を受けても文句は言えない。これは、気を付けなければならないと思いますが。

兼原　軍事通信衛星は、攻撃に対して脆弱です。ですから最近は、コンステレーションといって低軌道の衛星をたくさんバーッと上げて、強靱性を上げるというのが主流です。ウクライナ戦争で活躍しているイーロン・マスク氏のスターリンクが好例です。海洋での通信も、衛星コンステレーションが利用できるようになれば、ずいぶん楽になると思います。

村川　有事に限らず、気象海象情報などは詳細な情報が船から上がってくるようになると思います。

兼原　北朝鮮のミサイルが失敗して途中で落ちて、空中分解するところを動画に撮った日本の漁師さんがいました。ああいうことが普通に行われるようになるといいですよね。

日本は新自由主義を額面通りに受け取って、補助金をやめて各企業が丸裸で競争していますが、アメリカでは裏にペンタゴンがいて、安全保障開発費という名目で巨額の金が企業に出ています。事実上の補助金ですよ。ペンタゴンは科学技術開発費として10兆円相当の予算を持っています。日本でも防衛省から1兆、2兆円が、デュアルユースのいい技術を持っている企業のラボに開発資金として流れていく仕組みが要るんだと思いますよ。そのお金で、日本版のコンステレーションを沢山作ったらいい。通信衛星以外にも、光学偵察衛星とか、レーダー偵察衛星とか。

髙見澤　ソフトバンクのやっているベンチャー投資を政府保証付きでやるみたいな感じですかね。損しても政府が面倒を見て、うまくいけば政府が上がりを頂く。CIAを含めて政府機関は相当儲かっているという話を聞きますよ。

兼原　あとGOCO（Government-Owned, Contractor-Operated）という仕組みがあって、ロッキ

ード・マーティンなどの安全保障関連企業の設備投資の機械は全部政府が買って企業にタダ同然で貸して操業させているというんですよね。防衛産業は要するに、設備投資が要らないわけです。

髙見澤　確か1ドルで、あの膨大な施設を貸しているんですよね。

兼原　うちもああいう産業安保政策の仕組みを考えないといけません。そうしたら多分、重電系のメーカーはみんな生き返りますよ。

海底ケーブルを安全保障の観点から見直す

村川　海底ケーブルに関しては、2023年に閣議決定された第4期海洋基本計画でも、しっかりと守らなければいけないということが書かれています。主管省庁は総務省と国交省と警察庁です。しかし、今のところそれらの役所に海底ケーブルを監視し、攻撃された場合に状況を確認する能力はありません。防衛省も海底の状況確認等の限定的な能力を有するとはいえ、海底ケーブル全般を守る能力はありません。

昨今、衛星通信が注目されていますが、海外との情報通信はほとんどが海底ケーブルを通して行われています。これを攻撃されたら大変なことになります。今でも原因不明の海底ケーブルの切断事故は起きていますし、中国は深海にも到達できるような無人潜水艇（AUV）も開発しています。海底ケーブルではありませんが、ロシアによるウクライナ侵略が開始された後に海底パイプラインのノルドストリームも攻撃された事例があります。安全保障の観点からも海底ケーブルは第二のシーレーンとして見ておく必要があります。普段から状態を監視して、何かあった時は速やかに保守できるようにすべきで、無人潜水艇を利用できないかという考えはあります。まだ、具体的にはなっていませんが。海底ケーブルの保守は、現状は保有する民間会社任せとなっていますが、やはり国として枠組みを作っておく必要があります。

兼原　いま駐ブルキナファソ大使をされている長島純空将が国家安全保障局にいらした時に強く問題提起されていました。日本の海底ケーブルの主な陸揚局は伊勢志摩と千倉なんですが、3・11の東北大地震の時に大部分が損傷しました。千倉は全部切れちゃって、伊勢志摩もだいぶ切れた。

私はNSCにいた頃一度、千倉に見に行ったんですけど、2メートル四方ぐらいのコンクリートの中に太平洋から陸揚げされた全てのケーブルが入っているんですよ。これをテロ攻撃されたらおしまいです。本当に普通の家みたいなところで、派手に守ると狙われるから地味にしているみたいです。

その時にいろんなことがわかったんですけど、海底ケーブルの所管官庁は総務省なんですが、8割方の人たちは通信を繋ぐことしか考えていない。残り2割がサイバーセキュリティの人たちで、この人たち以外に安全保障を考えている人は少ないんですね。

私がびっくりしたのは、上海と台湾を結ぶ海底ケーブルが、なぜか真っすぐ直線で行かずにわざわざ尖閣の真横を通っている。只の海底ケーブルではなくて、潜水艦の音を拾っているのかもしれない。政府の中で誰かきちんと監督していたのかといったら、誰も見ていない。12海里領海外の海底ケーブルの設置は、日本の200海里水域内でも、実は誰も見てないんです。国家安全保障局に、音頭を取って政府全体で横串を通して、海底ケーブル問題をやってもらわないといけないと思うんですけどね。総合海洋政策推進事務局なんて、本来うってつけだと思いますが、あそこは国交省海事局の牙城だから、総務省所管の海底ケーブルに関心があまりない。

村川　諸外国には海底ケーブルを守ることを海軍の任務の一つにしているところがあります。10年近く前になりますが、フランスの海軍司令官が日本に来られた時に、海上自衛隊幹部学校で学生に講話をしていただきましたが、海底ケーブルが世界の海でどのように通っているかについて熱心に話をされました。私を含めて日本側は今一つピンとこない。フランスなどはかなり早くから海底ケーブルの安全確保について、軍が関与していたのだと思います。

岩並　今般、総合海洋政策推進事務局でＡＵＶの社会実装に向けた戦略も作ろうということで検討が行われています。ただ、ＡＵＶの技術は充分に攻撃とか犯罪に使えるレベルになりつつありますが、その防御という観点からの検討は、ようやく始まったばかりだと思います。

南シナ海沿岸国の支援を

兼原　先ほど申し上げた通り、台湾有事になると南シナ海も戦域になるので、インドネシア、マレーシア、ベトナムといった南シナ海沿岸国も非常に困ることになります。

髙見澤　南シナ海が完全に動かなくなった時の物流がどうなるかみたいなシミュレーションってあんまり聞いたことがないですよね。

兼原　中日韓台は、東アジア４大経済ですから、南シナ海にはものすごい数の船が通っているはずですよね。ＡＳＥＡＮだってインドネシアは台湾より少し大きいサイズの経済規模ですし、ＡＳＥＡＮ全体の経済規模も10年後には日本経済を抜く規模に成長していいます。南シナ海が戦場になるというのは、銀座四丁目交差点が大規模テロ事件で封鎖されるようなもので、実は想像の域を超えています。

岩並　南シナ海の島の領有権を巡っては、フィリピンと中国のコーストガードがやり合っていますし、ベトナムと中国もやり合っています。それがエスカレートして戦争状態になっても、これまた大変なことになるので、ベトナムもフィリピンもそうですけど、沿岸国のコーストガードの能力向上支援は非常に重要だと思いますね。

兼原　そうだと思います。この間、三菱電機のレーダーをフィリピンに売却しましたよね。航空自衛隊の将官だった三菱電機の方が、ものすごく頑張ったと聞きましたけど、こうした周辺国の能力の増強は日本にとって重要です。警戒監視能力、コーストガードの能力、潜水艦、それから対艦ミサイルの能力です。南シナ海沿岸国が海洋の防衛能力を整えてくると、中国は相当怖く感じると思います。南シナ海の周辺国をこちら側で固めて、中国が暴れるコストを上げておく、というのはすごく大事です。今度ＯＳＡ（政府安全保障能力強化支援）というのを外務省が始めて、予算規模はまだ小さいですが、その枠でどんどんやったらいいと思います。海上保安庁はもうずっと外国の海上保安庁支援をやってらっしゃるし、防衛省は国際協力費という費目が立っているので、ＯＳＡと協力してやろうと思えばもうできる。防衛産業にも頑張ってもらわないといけません。

村川　海上自衛隊が新しく造る哨戒艦などはコーストガード仕様にして提供しても良いと思います。

南シナ海の沿岸国で、無条件に中国に味方する国はないと思います。ブルネイやタイは微妙ですが、あとの国はほとんど反中国となるでしょうから、沿岸国が力をつけると中国が南シナ海を牛耳るのはそう簡単にできることじゃない。

兼原　実力のある国はこっちの味方が多いんですよ。フィリピン、ベトナム、インドネシアとマレーシアは基本的にこっち側。外交上手のタイが政治的に中立で、カンボジアは中国に逆らえない。ジェノサイドを犯したポルポトが毛沢東主義だったので、フン・セン首相は内心では中国が嫌いですが、中国の経済援助金がないと経済を回せないので、中国に強くは出られない。ブルネイが一番かわいそうで、命綱の海底油田が中国が一方的に引いた南シナ海を囲い込む「九段線」の内側にあるので、中国に逆らえない。逆らったらどんな嫌がらせをされるかわからない。

　このようにＡＳＥＡＮの中の対中認識はバラバラで、かつ、みんな経済的には中国との関係は深いのですが、内心では横柄な中国を嫌っています。特に、南シナ海周辺諸国は対中警戒心が強い。彼らの対潜水艦戦能力、海戦能力、巡視船の能力を上げてやれば、日本が自分でやらなくても、中国はそっちに勢力を割かれることになる。

　海保の巡視船の輸出ですが、10年ぐらい前からですかね。海自の護衛艦も同様に、スクラップなんてせずにＡＳＥＡＮ諸国に売ったらいいと思いますよ。武器輸出三原則は防衛装備移転三原則に変わり、三木政権時代の完全禁輸政策はやめましたが、未だに無駄な制約が多い。自国の安全のためなら、どんどん輸出したらいいと思いますが。

村川　先般も昭和50年代以降、長く海上自衛隊の主力護衛艦であった「はつゆき」クラス護衛艦の最後の1隻が除籍され、処分されるというニュースが流れていましたが、もったいないと思いましたね。

髙見澤　「はつゆき」クラスというと、最初の計画は昭和52年度で、昭和57〜62年に就航していっているわけですよね。それから考えると長くても35年程度で除籍になっていますが、まだ使えますね。

村川　フィリピンでは、海上自衛隊が昭和30年に米軍から貸与され、20年ほど使い米軍に返納した艦艇を最近まで使用していました。日本では「はつひ」という名前でした。

兼原　アメリカは日本の真珠湾攻撃で孤立主義をやめて、自分の力で世界平和を守ろうと考え始めた頃から、欧州や極東といった敵地（ソ連）に近いところで戦うことを考えてきました。戦場を前方に押し出して、太平洋と大西洋に挟まれた北米大陸を聖域にする前方展開戦略を基本戦略にしています。米国本土を戦場にしないということです。

北西太平洋の正面では、日本が戦争に負けた時、朝鮮、台湾、フィリピンといった日本周辺地域はアメリカが押さえたわけですよね。それで、日本の米軍基地を拠点にして、日本の緩衝地帯となっている日本の周りの国を守ってやるという話になった。

日本にとっても、その発想は国益に合致していて、自分の周りを強くすると自分に降りかかる火の粉が少なくなるわけですよ。緩衝国家とは防火壁のことです。朝鮮と台湾は、大日本帝国領でしたから、みんな「そうだろうな」と頭が回るんですけど、フィリピンは米領でしたし、フィリピンが直面する新南群島（南沙諸島）は日本領だと諸外国に通告したのが1939年で、敗戦後、すぐに放棄していますから、日本人の目がなかなか向かないという問題があります。しかし、南シナ海の周辺諸国もどんどん支援していけばいい。ＯＤＡで道路や港湾、空港を作るのに合わせて、ＯＳＡで軍事基地を作ってあげるくらいのことはできない方がおかしい。敵を弱くし、味方を強くするのは、外交の鉄則です。

台湾とは「何もできない」

村川　一番難しい問題は、自衛隊は台湾軍とは何もできないことですね。中国との間には不測の事態が軍事衝突に発展しないよう海空連絡メカニズムが存在しますが、それすら台湾との間にはない。つまり、相手の行動の意図がわからない時に、確認しあう仕組みすら台湾との間にはありません。

髙見澤　昔、台湾のヘリが尖閣領空を侵犯した、なんて話もありましたよね。

村川　そうなんです、そのような時に確認するすべがないんですね。例えば防衛当局間でホットラインがあれば、事故防止だけでなく遭難船舶の救助などを台湾軍と連携して行う場合にも使えると思うんですけれども。日本と台湾の関係は良好と言われますが、安全保障上の具体的な連携は全くできていない状態です。いざとなったら米軍を通じてやり取りを行うのかもしれませんが。

高見澤　でも、やっぱり普段から協力できる体制がないといけないですよね。経産省は昔から輸出管理の関係で台湾と行き来してますから、そういうところを手がかりに平素からのワーキングリレーションを作れないかなというのがあります。そういう点では、やっぱり危機管理メカニズムの構築が重要かと。

岩並　コーストガード同士は、先ほど村川さんが言われたように、海難救助の分野で必要な連携を図るために、台湾との交流の窓口となっている日本台湾交流協会等を通じた協力のパイプがあります。それをもうちょっと太くしていくということですかね。

兼原　やればできるんだと思いますよ。中国の関係ももちろんありますけど、民間交流の枠組みは作ってあるわけですから、これは民間の協定だとか、海難救助は人道問題だとかいって、交渉ラインさえ開けちゃえば、あとはやるだけですから。海難救助や、自然災害対処といった人道問題は、やらない方がおかしい。

高見澤　最近、台湾にヨーロッパの国から結構、武官が来ているようです。

兼原　それはもう台湾有事が始まると思っているんですよ。日本もやらないと。日本の台湾事務所（交流協会）にいる駐在武官は退役武官です。現役を出向させたらいい。日本が何かやるとすぐに「中国を刺激する」という批判が出てきますが、尖閣領海を恒常的に蹂躙されて、これだけ刺激されているのにいまさら何を、と思います。

村川　安倍元総理が台湾有事は日本有事だとおっしゃって、台湾の多くの方は、いざとなったら自衛隊は台湾軍と一緒に戦ってくれると思われたそうですが、連絡手段もないのに一緒に作戦行動なんかできません。

兼原　かわいそうですけど、私たちの植民地だったところは、近代外交を始めてまだ間がないんですよ。加えて、台湾の場合には北京政府に外交代表権を取られて、ほとんどの国と外交関係が切れちゃっているので、戦略的、地政学的視野が広いとは言えません。プロの外交官などは除いて、一般人なら「台湾有事になってアメリカが来なかったら、日本が来てくれるよね」って平気で言いますでしょ。「いや、アメリカが来なかったら日本は単独では助けに行けないから」と言うと「えー！」と驚く。まだこんな感じですから。

髙見澤　巡視船は台湾の港に入ったり、あるいは台湾海峡を通ったりすることとかはあるんですか。

岩並　台風から避難する場合など、常態的に海峡に入っています。ただ、巡視船が台湾の港に入らなければならないような事案は発生していません。

兼原　海保の船って台湾海峡に沢山入っているんですよ。特に、台風避難の時とか。なぜ海上自衛隊が台湾海峡に入らないのかって、すごく不思議なんですけど。他の国の海軍も沢山、台湾海峡を通っています。台湾海峡は公海ですよ。

高見澤　以前、通そうとしたことがあるんですが、その時は最後になって、ちょっと事情が変わっちゃってだめになったという記憶があります。

村川　今ほど日中関係が悪くない時、中国主催の国際観艦式に海上自衛隊の艦艇が招待されたことがありました。招待されたんだから、台湾海峡を通って行けばいいじゃないかと思いましたが、やはりだめだという話になっちゃいましたね。俺たちに踏み絵をさせるのかみたいな雰囲気があって。

高見澤　ちょっと重く考え過ぎていると思いますが、そういう現実はありますね。

国内法の理屈は通用しない

岩並　海自と海保の連携の話で、先ほどの話を補足しますと、今回の統制要領では、自衛隊はいわゆる作戦正面に集中し、海保は非軍事組織たる性格を生かして国民保護措置とか海上における人命の保護等に活躍することが期待されています。海上保安庁もコーストガードですけれども、コーストガードは世界史的には比較的新しい組織なので、それぞれの国の安全保障環境や設立の経緯等の状況によって、その組織形態や任務の内容が必ずしも同様ではありません。国によっては軍事機能を持っているところもあります。そういう中で海上保安庁は非軍事組織として、統制要領が発動される場合にも国民保護措置等の活動に当たる。ただ対外的にそういうことが必ずしも十分に知られていない可能性がありますので、保護する国民の安全を確保する上でも、海上保安庁はコーストガードではあるけれども非軍事組織であり、軍事活動は一切しないということを対外的に認知してもらう努力を続けることが必要だと思います。

兼原　理屈は分かりますが、ちょっと心配なのは敵が中国軍だということです。また、そもそも論として国内の法的な議論は、国際政治ではなかなか通用しないんですよね。

国際法の自衛権行使は、刑法の正当防衛とは違います。刑法の世界では、国家権力が犯罪者個人と向き合うので、犯罪者が銃を向けるまでは警官は撃ってはいけないという理屈になりますが、国際法の世界では、敵国が侵略を始めたら、戦争が終わるまでは、敵味方双方の軍隊が死力を尽くして殲滅し合い続けます。それが自衛権行使です。

戦争法規というのは、基本的に戦闘で敵にたくさん損害を与えて早く平和を回復することがいいことだという前提の議論なんですよね。だから敵の軍隊はもちろん潰しますが、総力戦、長期戦、消耗戦になれば、敵の継戦能力を挫くために軍事に用いられる民間インフラも全部潰していくわけです。空港、港湾、鉄道、発電所など、民間施設であろうとも、戦争に使えちゃうと攻撃対象になる。

船も同じです。政府の防衛大臣の統制下に入った海上保安庁の船は、何をやろうと当然軍事目標になります。だから私は、海保の船は、戦闘が始まったら一刻も早く戦場から離脱して、海自の船が手薄になっている地域の仕事——例えば北洋の警戒監視——を代替するのが良いと思います。疎開船の対馬丸みたいに人員や物資を運んでいる時に潜水艦に魚雷攻撃されて沈んでしまうというのが最悪の事態ですから。

台湾有事が想定される状況になったら、南西諸島の島々にはシェルターをしっかり準備して、最初から保存食と保存水をバーンと入れておく。待避を希望する人たちは運び出しますが、残りたいという人たちには「○月○日以降はもう来られない。戦闘が続く限りはここにいることになるよ」としっかり伝えて、自分たちで耐えてもらうしかない。

日本人的な倫理観で、「一人たりとも見捨てない」と言って戦闘中の海に海保の巡視船が出て行ったら、中国の潜水艦にやられてしまいます。

海自の対潜戦の能力は高いですが、戦闘に集中していますから、島民避難とかには使えない。戦局が悪くなってくれば、航空優勢を失い、海上優勢を中国に取られる。そうしたら、中国軍が先島諸島に上陸するかもしれない。石垣、宮古、与那国に基地を構える陸上自衛隊だって、玉砕か撤収かという話になれば、最終的には撤収するかもしれません。その時、もし島民の方が残っておられれば、一緒に島を出ることになるでしょう。それは当然、海保ではなく自衛隊の仕事です。

海自、海保、陸自、空自の運用と島民避難を一緒に考えなくてはならない。いつ、どの順番で、何をやるか。これは自衛隊の最高指揮官であり、日本政府の最高指導者である総理大臣の判断になります。重く、厳しい判断が必要になると思います。

もう一つ考えておくべきは、無理な作戦で組織の統制が壊れないかということです。仮に海保の船が1隻沈んで死者が出たら、日本人の感覚だと極端に振れて「もう一切、船は出さない」という話になりかねない。カンボジアPKOの際に、岡山県警の高田警視が現地に行って、ゲリラに殺されてしまった。あの時は、「自衛隊が外に行くなら警察も」と警察庁が前のめりになっていましたが、現場に行く警察官は、そこまでの危険があるとは思っていなかったのでしょう。ＰＫＯも始まったばかりで、何の任務かよくわからなかったのではないでしょうか。同僚を亡くした県警の人たちは激高し、上級職の人たちに「お前たちが行けよ」と詰め寄った。高田さんが亡くなった後、当時の警察庁警備局長が県警の人たちの前で平謝りされたそうです。そこで警察の指揮命令系統が本当に壊れてしまった。あれから警察は１人もＰＫＯに出せていない。

ですから、非常に危険な仕事をする場合は、任務の意味と、任務に応じた危険性を正確に認識した上で仕事をしてもらわないと、何かあったら組織が壊れてしまうと思うんです。軍（自衛隊）の仕事と海上警察の仕事には、やはり明確な境界がある。

岩並　海保の船が軍事目標になる可能性があるということは、おっしゃる通りだと思います。それ故に、国民保護活動を行うこととなった場合に、少しでもそれを安全に実施するための努力は必要だと思っています。

「宣伝戦」に勝てるか

村川　企業や各省庁、自治体などが自衛隊と接触すると軍事的行為に加担したとみなされ危険、自衛隊と関係を持たなければ軍事的行為とはみなされずに安全、という認識は捨てるべきだと思います。その認識は中国相手には通用しないばかりか、まさにそこを突いて情報戦を行ってくると思います。

１９９９年に中国の軍人が『超限戦』という本を出し、その後日本で出版されたものを私も読みました。超限戦というのは、自分たちを縛る国際法や人道などの制限さえも取り払い、同時に情報戦、金融戦、貿易戦など軍事以外のあらゆる領域も取り入れて戦うという何でもありの考え方です。そのような考え方の相手に、自衛隊と関係を持つのは危険だとか、これは軍事か非軍事かというような考え方は捨てた方がいい。むしろ、相互に情報共有を行い、あらゆる領域が戦場となることを前提にリスクを下げていくべき時が来ていると思います。

兼原　海賊対処での商船保護の経験の積み上げがあるので、もうそろそろ大丈夫じゃないでしょうか。日本人には、安全保障に関して奇妙な「丸裸（非武装）信仰」があるという話は、結構、世界中に広がっています。「自分を守らなければ、自分は攻撃されない」という理屈は、国際的には非常識です。外交記録によれば、かつて訪日した周恩来首相は田中角栄総理との会談で、「日本社会党は変わっていますね、非武装中立なんて中国共産党だって言いませんよ」と笑い飛ばしています。

髙見澤　私は最近、いろんなところで説明資料にその『超限戦』を使っています。この本にはあらゆる古今東西の戦略を分析した結果として、「必要な原則」という章があり、七つの原則が書いてあります。これをどう読むかなかなか難しいんですが、手段は制限しないが、それは最小限で行使するということがポイントのようです。日本のアプローチは逆に、手段については普通の国では問題ないことであってもできるだけ制限し、できる手段は必ず使うというように硬直的になっている感じがあります。我々もそろそろそこから脱却して、手段は縛らないけれど、実施は柔軟にすべきじゃないかと言ってるんですけどね。

岩並　そういう相手に対して、日本はどのように対応していくかですね。日本は法の支配を標榜していますので、可能な限り国際法に従った対応をしたいですが。

兼原　中国は孫子の兵法で、兵は詭道の人たちです。法の支配なんて全く頓着しないので、こちらが真面目にやりすぎるとまずい、という面もあります。

『孫子』に、将にとっての五危、五つの危ういものというのが記してあって、必死、必生、忿速《ふんそく》、廉潔、愛民となっています。初めから死ぬと決めている者は、考えなしに突っ込んでいってすぐ殺される。必生の者は、生きたいという思いが強すぎて捕虜になる。忿速（短気ですぐ怒ること）の者は、バカをやらかすから軽んじられる。廉潔の者は、汚いことを一切やらないので辱められる。最後の愛民は、部下を可愛がりすぎると判断を間違える、ということです。孫子ってやっぱり残酷ですよね。

日本の自衛隊には武士道の廉潔の伝統があって、正々堂々とした正規戦ばかりを考えています。だから宣伝戦でフェイクニュースをばらまくような汚いことはやらない。しかし、それでは負けてしまう。日中戦争では蔣介石の宣伝戦に日本陸軍が完敗しました。

岩並　攻めるほうは、色々と言い訳ができるように曖昧戦術で来るのかもしれませんが、守るほうは、相手にエスカレーションの口実を与えないためにも、やっぱり明確戦術のほうがいいと思います。

兼原　そうですね。彼らは必ず「先に手を出したのはオマエらだ」と事実と逆のことを大声で言うので、とにかく「正しいのはこちらである」というのをずっと大声で言い続けないといけません。

写真とか画像にも注意が必要です。日中戦争の時に、線路の上で1人座って泣いている赤ちゃんの写真が、南京での日本軍の暴行を象徴するものとして英米のメディアにばらまかれました。赤ちゃんが泣いている理由と日本軍による攻撃の因果関係はわからない。そもそもこの写真は実は南京の写真ではなかったと言われています。でも戦場の宣伝戦では、その場でその嘘が短期間浸透すればそれでいい。だから宣伝戦では蔣介石が日本に圧勝したんです。戦略的な広報の体制も整えておかないといけません。

総理官邸にいた時に一度、困った事態がありました。2016年ですが、400隻ぐらいの中国の船団が尖閣周辺海域に入ってきました。中国海警の船も沢山同行してきた。78年に似た事例がありましたが、およそ40年ぶりの事件です。国際社会に中国の無法ぶりを訴えるのに格好の材料なわけですが、あの時、海上保安庁に映像を出してくれと言っても、インテリジェンス扱いされる情報なので、現場の人たちにはなかなか許可が出ない。官邸からせっついて、尖閣にやってきた全ての中国公船の画像を全部公表してもらいました。武装した船舶は、赤枠で囲んではっきりわかるようにした。こういう作業は結構、時間がかかるんです。

こういう事態が生じた時は、最初から中国公船の悪行に関わる写真をまとめて100枚出す、というような基準でも作っておいて、日頃から広報部局、政策部局、インテリジェンス部局で連携して訓練しておかないと、宝の持ち腐れになってしまいます。

髙見澤　あとは、相手がどういう情報を流しているかにすぐ気が付くシステム、これがないと、対応が後手に回ってしまいます。ディープフェイクも混ざってくるので、そこも見抜けなければならない。

兼原　戦略的コミュニケーションの体制が、今やっと総理官邸に立ち上がりつつあると聞いていますけど、そういうのはやっているんですかね。

髙見澤　その体制が本格的に運用されるにはまだ時間がかかると思います。サイバーセキュリティに関しても司令塔を設けるという話がありますが、具体的な任務をどうするかというのは未だ解がないんですよね。本当は、認知戦とかディスインフォメーション対策、ファクトチェック的な部分の対策を考えないと、今みたいな話には対応できない。

兼原　総理官邸でも、外務省でも、防衛省でも、報道官組織や広報組織の人たちは、発信する自前の弾（政策・事実関係）がないわけですよね。もちろん少しは自分たちで考えますけど、何を外に出せばいいのかは、彼らにはやっぱりわからない。弾込めは政策系の部署の仕事です。特に、インテリジェンス系の部署が後ろについていないといけない。報道・後方組織、政策組織、インテリジェンス組織が、総理官邸を頂点にして各省庁に縦に繋がり、各省庁間でも横に繋がっていないと、有効な戦略コミュニケーションは実現できません。政府全体の方針は、総理官邸でまとめて「こういう方針だからこれは出す」と判断することが必要です。今のままだと日本政府は動かないですよね。

インテリジェンス系の人たちは、情報源秘匿のために生情報を出すわけにはいかないから、機微な部分を削ぎ落として加工しないと、外に公表できないじゃないですか。だから、あらかじめ「加工しておいてね」と言っておかないと外に出せる資料が迅速に出てこない。結構、手間ですよね。日ごろの訓練が重要です。

沖ノ鳥島に飛行場を作れるか

兼原 ちょっと話が飛びますけど、造船業全体のテコ入れをしないとまずいと思います。船を造るところがどんどんなくなってきている。三菱やJMU（ジャパン マリンユナイテッド）だっていつまで船を造ってくれるか分からない。

岩並 その懸念がありますよね。国際競争力の関係で造船が縮小して、人と技術基盤が失われていくのではないかという問題があります。

兼原　中国や韓国は造船業界にすごい補助金を入れていると思いますよ。海軍の船を造っているわけですから。造船産業とか航空産業は、経済安保の根幹です。海事の問題って若干、政府部内で等閑視されているところがあって、「このままじゃ、やばいよね」という声があんまり出てこないですよね。

あと港湾ですね。この間、海上自衛隊の大湊地方総監部に行ったんですけど、2024年度から横須賀地方総監部の隷下になっちゃうって泣いてました。現在、浚渫して港を深くしています。空母化している護衛艦の「かが」は入りませんけど、普通の護衛艦ならみんな入れるようになります。しかし、自衛隊の港も有事になったら爆撃されると思うんですよね。それでは民間の港に入れるかと言うと、浚渫してあるかとか、水深はどうかとか、いろいろな条件がある。佐世保と横須賀が爆撃されて、復旧まで2週間使えないというような場合には、代替できる民間港湾を予め作っておかないといけません。

ところで、海保はいろんな地方の港湾に入ってらっしゃるんですよね。

岩並　船が小さいので比較的入りやすいですけれど、常態的に使える港は限られます。

村川　私も認識が足りなかったのですが、海上保安庁は各地にちゃんと拠点があっていいなと思っていたら、借りているだけなんですね。「商船が優先だ」と言われたら、出なければいけない。

岩並　港湾は本当に重要で、仮にシーレーンを守っても、港がやられていたら荷揚げできませんから。

村川　さっき迂回航路の話が出ましたが、例えば、航路がミクロネシア経由になるから海上自衛隊はそこを守ってくれと言われたら、近傍に補給ができる拠点を確保しなければならない。中国もあの辺を取り込もうとしていますが、軍事的な意図があることははっきりしています。活動する海域に拠点があるとないとでは、作戦の効率が全く違ってきます。

兼原　海軍戦略や空軍戦略って陸戦と全く違いますから、大洋のあちこちにポツポツと拠点がないとだめなんですよね。

ちょっと話は飛びますけど、私が総理官邸にいた時、安倍さんからの一番初めの指示の一つが「沖ノ鳥島に空港を作れ」でした。沖ノ鳥島は、低潮時、東京ドームが100個以上入る巨大な島で、帝国海軍が飛行場を作ろうとしていました。太平洋の真ん中にポツンとある島で、米海軍の拠点となっているインド洋のディエゴ・ガルシア島と同様、戦略的には絶好の場所にあります。国交省が真面目に検討してくれて、沖ノ鳥島の工事を担っている会社に聞いてくれた。普通、島に空港を作ると言えば数百億円でできます。ところが沖ノ鳥島の場合、試算は2兆円でした。沖ノ鳥島は周りに土砂がないので土砂を東京から持っていかなければならない。だから傭船料が巨額で、2兆円という巨額がかかる。「それでも出来るじゃないか」とはしゃいでいたら、財務省だと思いますが「どこにそんな金があるんだ」という声が聞こえてきた。

そこで総理のところに行って、「2兆円もかかるから、さすがに無理ですよね」と言ったら、ちょっとむっとした顔で、「君ね、国にとって本当に必要だったら国民が払うんだよ」とおっしゃったんですよ。安倍総理は結構、真面目に考えていたのかとその時に気づきました。確かに沖ノ鳥島に海上自衛隊、航空自衛隊の拠点があったら、艦船や航空機の運用がすごく楽になる。大洋の真ん中に浮かぶ止まり木のような孤島は、海空軍には万金の価値がある。あの後、コロナ対策で政府は100兆円もばらまいていますから、2兆円という金額は政府として不可能な金額ではなかった。今ならできたかもしれないと思いますが、安倍総理には申し訳ないことでした。

あの時気が付いたのですが、日本政府は、海洋基本計画のような国家海洋戦略を策定する際に、洋上風力とか、マンガンノジュールとか、資源開発にばかり目が行って、海軍関連の利益を全く考慮に入れようとしない。海洋大国にとって、海洋権益の半分は海軍権益です。経済権益は、後の半分に過ぎない。海上自衛隊を除けば、日本政府の中で海軍戦略的な思考能力、リテラシーが完全に失われている。だから沖ノ鳥島の戦略的価値に気が付かない。さすがに戦略眼の安倍総理だと思いました。

因みに、尖閣諸島も同様ですよ。沖縄本島、台湾、中国のどこからも遠い尖閣諸島は、東シナ海の孤島であり、レーダーやヘリパッドを置くなりして軍事利用すれば、軍事的価値は非常に高い。しかし、そんな議論は政府の中でなされたことがない。

自衛隊もこれから行動範囲が広がりますから、拠点整備はどんどんしていかないと。大洋州島嶼国にも拠点ができるといいですね。日本は太平洋戦争に巻き込んだミクロネシアでは結構、恨まれているんですが、住民避難を徹底して住民を戦闘に巻き込まなかったパラオでは愛されています。

岩並　島嶼国は本当に重要になってきますね。シーレーン防衛というと、どうしても線の視点になりますが、これからは島嶼国を含めて、面の視点も必要だと思います。

高見澤　ＦＯＩＰ（自由で開かれたインド太平洋）の港みたいにして、こちら側の陣営がみんなで使えるような感じにしたいですね。30年ぐらい前ですが、ホストネーションサポートじゃなくてホストリージョンサポートと言って、米軍を国内にホストするためだけではなく、地域の安定のために第三国の港湾とか空港に対して在日米軍駐留支援経費みたいな形でお金を共同して出したらどうか、という議論がありました。ベトナム戦争が終わって、カムラン湾に空母を入れなきゃいけないんじゃないかとか、南シナ海を西側でどうするのかという議論をしていたのがちょうどその頃ですね。

兼原　日本は戦争に負けたから、普通の国が持っている海軍戦略とか空軍戦略がどっかに飛んじゃっているんですよ。海上自衛隊、航空自衛隊が海外に展開する時に、給油、休養の拠点はどこにするのだ、という至極当たり前の話が出てこない。海自の海賊対処の拠点になっているジブチが唯一の例外ですが。

ところで、戦略的コミュニケーションとして、海幕が独自にプレゼンスオペレーションをやってらっしゃいますよね。あれは政府全体の中の戦略的コミュニケーションというより、まだ海自が独自にやっている感じがあります。戦略的コミュニケーションについては、国民の理解を得つつ、関係省庁で連携する枠組みを活かして、政府全体の話にする必要がありますね。

戦略的コミュニケーションとしては、総理がバーンと出す大きなメッセージが一番重要です。戦争の大義ですね。次に敵が出してくるフェイクニュースを小まめに潰す作業があります。更に、自分の軍を演習や移動の名目で黙って動かすことがあります。この三つ全部をうまく組み合わせてやらなくちゃいけないんですけど、日本は、軍を動かしてパントマイムでメッセージを送るということができないんですよね。米国は、空母機動部隊を世界各地に派遣したり、戦略原潜を韓国に寄港させたりしています。

髙見澤　これから装備協力などでＶＩＰカントリー、つまりベトナムとかインドネシアとかフィリピンに対する支援をすると思いますが、日本の全体構想のイメージがないですよね。南シナ海沿岸国の海洋航空発展支援計画みたいなものです。それぞれの国のプランがどうなっていて、日本はどこに投資していけばいいのか。そういう視点からそれぞれの国を戦略的に位置づけて、必要な装備を調えていければいいですが。

村川　先ほど、兼原さんからお話があったインド太平洋方面への4～5カ月間の長期派遣訓練を海上自衛隊が始めて7年になります。「ひゅうが」や「いずも」などのＤＤＨ（大型のヘリコプター搭載護衛艦）を中心に行動していますが、やはり効果を感じます。派遣中に行う関係国海軍との訓練は日常化していますし、国際観艦式などに日本の大型艦が参加すると、やはり各国から注目されます。海賊対処等の実任務に加え、このような訓練が増加したことで、多いときは海上自衛隊の全隊員の４分の１近くが海外に展開しています。価値観を共有する国々には信頼感を与えているかと思います。国際観艦式などの機会には、中国海軍の軍人が護衛艦を見学に来ることもあります。「どうぞ見てください」と言って見せることにも価値があるかと思います。いずれにしても、自衛隊のすべての行動は、国の戦略の一環としてさらに活かしていくべきだと思います。

兼原　でも、できてよかったですね。（ＤＤＨの）「いずも」と「かが」は。

あと海上保安庁の増強も引き続き頑張らないといけません。今は、１０００トン以上の大型巡視船は、もう80隻ですか。

岩並　はい、おかげ様で令和６年度で大型巡視船が77隻になりますし、さらなる増強整備も続いています。

兼原　まだ中国の半分ぐらいですよね、中国海警の勢力は既に１５０隻を超えました。もっともっと頑張らなければいけませんね。

第3章　特定公共施設と通信（武藤浩、谷脇康彦）

兼原　第3章は、ちょっと矛先を変えまして、有事になった時の特定公共施設、特に港湾、空港、電波の問題を扱おうと思います。

日本政府を支えている巨大官庁と言えば、旧内務省系の国交省、総務省です。警察庁、厚労省もありますが。本格的な有事になれば、この旧内務省系の官庁の助力なしには日本国の安全保障は機能しません。今日、お迎えしたのは元国土交通事務次官の武藤浩さんと、総務省で総務審議官をおつとめになった谷脇康彦さんです。武藤さんには運輸関係のお話を中心に、谷脇さんには通信関係のお話を中心に伺いたいと思います。谷脇さんには、御専門のサイバーセキュリティの話もお願いしようと思います。

髙見澤　今度の国家安全保障戦略では、我が国を全方位でシームレスに守るための取り組みの強化という大きな柱が立っています。その中の一番目に、サイバー安全保障分野での対応能力の向上があります。特定公共施設の話も書いてあって、有事も念頭においた国内での対応能力の強化が謳われている。それは総合的な防衛体制の強化の一環、と位置づけられています。

私は「総合的な防衛体制」では弱いという問題意識から、総力安全保障という言い方をしていますが、この中に自衛隊・海保による国民保護への対応、平素の訓練、有事の際の展開等を目的とした円滑な利用・配備のため、空港、港湾等の公共インフラ整備や機能を強化する、との文言もあります。

いろんな取り組みを進めるという話があって、民間施設の中で安定的かつ柔軟な電波利用を確保するとか、自衛隊の施設や活動に否定的な影響が及ばないようにするための措置を取るとか、一連の施策が書いてある。今日は是非、皆様方が現役の時に感じていた不安とか、逆にこういう点は進んできているんじゃないかという点とか、いろいろとお話し頂ければと思っています。

分ですよね。

空港で考えておくべきは航空管制

武藤　特定公共施設については、事態認定があった時の措置はあるけれども、やっぱり事前にどう使うのか、そもそも使い勝手がいいのかなどは、調べとかなきゃいけない部分ですよね。

例えば港湾については、水深がどれくらいあってどのくらいの船なら着けられるといったスペックは分かっていても、有事にそこで一体どういう荷役が可能なのかといった部分までは分かっていない。大きな艦船を着けるとなったらタグボートで引っ張ってきてもらわなきゃいけないだろうし、その場合はどういう業者にどのようなお願いをしておくのか。多分、自衛隊は考えているとは思いますが、有事を想定した練習とか運用はまだ手つかずです。まずやってみるということを重ねていかないと、実際運用の時にどんな問題が出てくるのか事前に把握できません。地元世論との関係もありますから、地元に納得してもらう形でやる必要もあります。

最近の国会を見ていると、国民保護における地域住民の避難のために自衛隊は必要であるというところから入っても、港湾であれ空港であれ軍事利用を想定したら相手に攻撃されてしまう、といったやや筋違いな議論が展開されたりしていますが、有事の国民保護の手段をどうするかという議論は正面からやった方がいいと思います。

有事を想定すれば、自衛隊は戦闘に集中することになるので、国民保護や住民避難、後方支援は海保に相応しい仕事ということになるのかも知れない。そういう役割分担を

武藤浩（むとう・ひろし）
1956年生まれ。京都大学公共政策大学院特別教授。79年に京都大学法学部を卒業し、運輸省（現・国土交通省）に入省。国土交通省航空局航空事業課長、大臣官房広報課長、人事課長、観光庁次長、自動車局長、国土交通審議官を経て、2016年に国土交通事務次官に就任。17年に退官。

想定して、自衛隊や海保の港湾利用をどうしていけばいいのかを考える。そういう感じじゃないかと思います。

空港について言えば、有事対応でいちばん考えておくべきは、航空管制です。台湾有事の際に前線に近くなる石垣、宮古、下地などにも当然管制官がいるわけですが、有事になったら管制官だって仕事を継続しにくくなるでしょう。だとしたら、航空自衛隊にも管制官がいますから、彼らに仕事を任せることを考えればいい。その意味で、自衛隊の管制官が事前にいくつかの空港の管制の勉強をしておかなければいけないと思います。

髙見澤　我が国の周辺情勢を考えた時に、分散化というのがよく言われるわけですよね。飛行場などはあっという間にミサイルで狙われて、すぐ機能停止になってしまうから、できるだけ拠点を分散化させた方がいい、と。

韓国とか台湾に比べたら、日本は全然そういう対応が取れていませんが、せめて空港の分散ぐらいはしないと戦闘機がすぐにやられてしまう。有事に使えるようにしなければという話は今でもしていますが、平素から空港にはどういう機能を持たせておけばいいのか。そこについては今回の国家安全保障戦略でもある程度念頭に置いていますし、それにお金もかけていきましょうということのように思えるので、その方向で進んだらだいぶ違ってくるかも知れません。

武藤　その議論は、批判する側から見ると、自衛隊との共用を前提にしたら真っ先に狙われるじゃないか、かえって危なくなるぞ、となりますよね。ただ、それは本質的な議論じゃなくて、拠点を分散化・多様化するというのは、抑止力をどう高めるかという話です。本当に攻撃を受けて、民間空港までやられるようになったら負け戦ですよ。だから、そうならないように抑止力をどう高めておくかということを、議論では強調するということじゃないですかね。

兼原　自衛隊を連れてくると戦争になるとか、米軍がいるとやられるという議論があります。保革激突の55年体制下では、東側陣営に軸足を入れた社会党、共産党が、西側陣営の一員を選択した政府・自民党と激しく対立した。安保論争は、国内冷戦下での自社両党による米ソの代理戦争でした。左派陣営からすれば、ソ連の利益を代弁して、「日米同盟反対、自衛隊反対」の一本槍ですから、政府の安全保障政策には何でも反対というしかない。「どうやって国民を守るのか」という現実主義に立った議論はなかった。日本社会党の非武装中立論などはその端的な例で、要するに日米同盟を止めて、自衛隊をなくして、ソ連が攻めてきたら早く負けて共産化しようと言っていたに過ぎない。かって森嶋通夫ロンドン大学教授が述べた「白旗赤旗論」（さっさと降参して共産化する）は、非武装中立論の本質を突いていました。

国家が軍備を整えるのは日本に対して戦争を起こさせないためです。自衛隊も在日米軍も、日本という国家と日本国民を守るためにあります。

武藤　まったくその通りなのですが、そういう批判をする人は間違いなくいるので、抑止力の意識を国民の中でどう高めるかということですよね。

地方の首長たちを説得できるか

兼原　中央政府のほうは、冷戦が終わってからの30年でだいぶ変わりましたが、問題は地方政府のほうです。首長さんたちの世界が、まだそんなに変わっていない。東京や大都市では、産経、読売、日経の現実主義的な安保関連記事が読まれていますが、地方紙ではリベラル派の共同通信の影響力が圧倒的です。平和主義だけでなく、昭和時代の革新自治体みたいなところがまだあって、自衛隊とか米軍を県内に入れないことが官公労（日本官公庁労働組合協議会）などの組織票に繋がるという古い政治構造が残っている。

私が現役時代の20年以上前の話ですけど、米軍が自衛隊と訓練をするので東北のある県に米軍の司令官が飛ぶという話がありました。ところが、「ウチの空港には米軍機は降ろさない」と地元の知事が絶対拒否だった。たまたま、その知事が東京に来たのでアポなしでホテルに飛び込んで、「司令官が乗る飛行機は普通のセスナですから」と言って赤白に塗られたセスナ機の写真を見せたら「これだったら問題ないよ」となって、事なきを得ました。そういう時代が長かったんですよね。

太平洋戦争では、敵国の領土を爆撃するのは爆撃機の大編隊でしたが、最近はミサイルです。空港は、割と早い段階でやられる。滑走路はすぐに復旧しますけど、２～３日使えないので、その場合は近くの空港に降りるしかない。それで今、短い滑走路でも降りられる垂直／短距離離着陸機のハリアーなどを入れていますが、実際にどこの空港に降りるのか、本当に降りられるのか、滑走路の強度は大丈夫かといった議論をしなくちゃいけません。海上自衛隊の船だって、おそらく佐世保、横須賀、舞鶴、呉の地方総監部がやられますから、そうしたらどこの港に入れるのか、水深は大丈夫か、燃料・食料は積めるのか、修理はできるのかなど、ちゃんと議論しておく必要があります。

戦前は、こういうのはみんなきちっと考えていたはずなんですよね。戦前は各省庁とも陸海軍との関係が結構あって、いろんな役所に軍人も入り込んでいましたし、役所のほうも軍のほうに人を入れていた。今は完全に軍と官、特に民生担当の経済関係官庁が防衛省、自衛隊と切れちゃってますから、動けと言われた時に自衛隊だけが動いて、他の役所は何していいか分からない、ということになっちゃうんじゃないかと心配です。

日本侵略があれば自衛隊に防衛出動がかかります。その時に自衛隊が優先使用できる「特定公共施設」に関する法律は、小泉総理の時代に作ってもらったんですが、実際に公共団体や首長を説得していこうという話になっているかというと、余りなっていない。

武藤　議論が具体化していけば、本当に主義主張で反対する首長もいるでしょうし、常識として分かりますという首長もいるでしょう。

髙見澤　そうですね。正面からちゃんと説明をして、理解してもらうしかない。逆に、この空港は問題が多いとか、受け入れられないというのであれば、それはそういうものとしてやめればいいと思います。透明な形でやっていかないと今はもたないですし、逆に透明に説明したほうが理解されるんじゃないかと思います。

武藤　そうですよね。何か悪意をもってこっそりやっていたみたいな誤解のされ方をすると、メディアもそういう方向で報道して1年検討が止まってしまう、なんてことが平気で起こりますから。

兼原　首長さんの話が出ましたけども、当然県によって色が違うので、それはしょうがないと思います。

ところで、武藤さんのおっしゃった空港の管制ですが、自衛隊のF-35Bが降りてくる時に、普通の管制官が誘導できるんですか。

武藤　できます。国交省の管制官も戦闘機を降ろしているし、逆に三沢とか千歳とかは民間旅客機を自衛隊がやっていますから。

兼原　そうなんですか。そこはじゃあ官民混ぜても大丈夫なんですね。分かりました。

それから、港湾の荷役も大丈夫ですか。

武藤　荷役は、専門の業者とどうやって契約しておくかという問題だと思いますよ。

あと全日海（全日本海員組合）の話は相変わらずあるんじゃないですか。全日海自体もそれを前面に出して、戦争反対というような主張をしています。シーレーンについて言えば外航の世界だから、日本の船員は少ない。日本の船員で外航を運航している部分って、1割ぐらいですよ（第2章参照）。完全にゼロにするのは問題だから、税制を作って一定数は確保しておいてねという仕組みにはしていますが、いまや日本に来る船のほとんどは、日本の海運会社がオペレーターだけれど乗り込んでいるのは外国人船員という船ばっかりですから。これに対して全日海が海運会社にどう言ってくるかという問題があります。海運会社の幹部と話していると、その話は必ず持ち出されますが、とはいえ日本企業として大事な部分だよねということは彼らも理解しています。

兼原　今の日本で戦前のような軍による商船の徴用はあり得ないわけですし、私たちはむしろ「商船を守らせてくれ」とお願いしているわけです。最近の対艦ミサイルは射程が長いですから、長距離封鎖がかかれば、タンカーのように大事なものを運んでいる船ほど攻撃されますから。

髙見澤　今のウクライナを見てもそうですが、復旧能力も結構大事だと感じます。やられた時にどれだけ短期間で代替措置が講じられるか、という。

兼原　最近、定期航路のコンテナ船は、朝9時に来たら夕方5時には出ちゃうんだそうです。ＡＩによって効率化が進み、クレーンも全部自動化されている。船は、重たい荷物、遠くに持っていく荷物は極力下に入れる。ただし、先に降ろす荷物は上に入れる。このバランスを組むのが一等航海士の技なんですが、それを今はＡＩがやっている。ものすごく時間が短縮されましたが、そうすると船員さんは、昔のように夜飲みに行く余裕すらない。入港したらすぐ出港しちゃいますから。

逆に言うと、実際に名古屋でそういうことがありましたけど、サイバー攻撃があると港湾の荷役が全部止まっちゃうということです。サイバー攻撃に脆弱なんです。

髙見澤　航空管制も結構止まってますよね。サイバーなのかどうかわかりませんが。

谷脇　貨物船も自動走行というか、自動運航になっていくでしょう。そうすると、衛星の位置情報だとか、その辺を改竄《かいざん》されたりするとかなり困ったことになります。

最前線の空港は沖縄県知事の管理下にあるが……

兼原　今、日本財団と日本海洋科学だったと思いますが、完全に船を自動走行させて、接岸までやってますね。接岸って、普通の船でさえ難しいのに、油を運ぶ船は、岸壁にある油を入れるパイプのところにピタッとつけなくちゃいけないから、タグボートなしで自動化することはすごく難しいんですって。

やっぱり一番大きな問題は、港を持つ自治体の首長さんたちの説得ですよね。これは政府が大きく旗を振らないといけません。情けない話ですが、日本ではすぐに誰が最終的に責任を取るんだという話になりがちです。首長さんたちは「政府がやれというのなら、最後まで絶対反対とは言わない」となりますから、政府の責任だということをはっきりさせた上でお願いする必要がある。政府が「首長さんの責任でお願いします」なんて言ったら絶対にやりませんから。

髙見澤　今、空港とか港湾の管理者は、どういうレベル分けになっていますか。

武藤　港湾は全部、地方公共団体ですよ。国が作っている部分もあるけれど、港湾の管理者は全部、地方公共団体になっています。戦後、法制でそうしちゃってますから。

主要空港は国の管理ですが、それが20個ぐらいですかね。それ以外は地方です。先島諸島の空港はすべて、沖縄県知事の管理下ということです。

髙見澤　今の戦い方として、分散すればするほどいいという形になっていますから、ローカル空港も結構大事という感覚になってきていると思います。

兼原　それは多分一番の課題じゃないですかね。空港はいっぺん滑走路に穴が開いちゃうとしばらく使えないので、作戦機は別のどこかに降りなければならない。しかも、いつまでも同じところに駐機していたら相手に叩かれるかも知れない。だから、すぐに移動する必要がある。降りられるところが多ければ多いほど作戦機が生き延びる確率が上がるんですよね。

髙見澤　だから空中給油機の数もすごく重要になっています。空港の数と空中給油機。シミュレーションをやってみると、この二つの影響が大きいんですよね。

武藤　給油機はどこから飛ぶんですか。そこもやっぱり危ない場所から？

髙見澤　給油機は遠くでもいいんです。

武藤　千歳あたりから飛んでもいいわけだ。ただ、先島諸島の空港は、県知事の許可がないと一つも使えないから、本当に表の議論でちゃんとやっていかないと。

兼原　沖縄の人たちに「これは戦争を起こさないためにやっていることなんです」「戦争が始まらないことが一番重要なんです」ということをちゃんと説明しないと、なかなか説得できないですよ。補助金みたいなお金の話だけじゃ絶対だめです。難しいですけど、説得するしかないんですよね。

あと、組合って大丈夫なんですかね。管制官の組合とか、荷役の労働者の組合とか。

武藤　管制官の組合は、業務に関してはちゃんとやると思いますよ。例えば自衛官に来てもらって訓練を一緒にやろうということになったら、それを拒否することはないと思います。

兼原　私、一回、過密空港と言われる羽田空港へ視察に行きましたけども、管制官はすごい力量ですよね。４本の滑走路があって、１人が１本の滑走路を全責任をもって見ていて、１分半おきに飛行機が上ったり下がったりする。しかも横に走ってタキシングする飛行機もいて、それも誘導する。

武藤　タキシングはまた別の管制官が見ています。離着陸を見ている人が一番忙しいんだろうけど、羽田にいるのは全国２０００人の管制官の中で最優秀の人ですよ。

兼原　集中力が切れちゃうので２時間で交代するそうです。６チーム編成と言っていましたけど。あれに自衛隊機が加わってきたら大変ですよね。羽田には行かないかもしれませんけど。

武藤　羽田は確かに混んでいますからね。しかも、大きい飛行機が通った後は、気流の関係でしばらくは小さい戦闘機は着陸できないそうです。そういうこともあって、もともと千歳基地の滑走路を軍民共用で使っていたのを、新千歳空港を作る時に自衛隊機は千歳基地、民航機は新千歳空港に分けたんです。

自衛隊関連の物資輸送は船がメイン

兼原　戦闘が始まったら、台湾周辺の空域はもう完全に戦闘区域になるので、通るなと言われるはずですよね。さすがに太平洋側を大回りする民航機を襲いに来るほど中国空軍も暇じゃないでしょう。敵の戦闘機もこちらのレーダーで丸見えですから、潜水艦で商船を襲うようにはいかない。ならば空路を少し東側に変えれば民間機を飛ばしても大丈夫ということですかね。

髙見澤　空路の場合は、ある程度、国際的にも担保はあるような感じはします。事故の原因が特定しやすいじゃないですか。落とされるといったら大変なので。それよりは、平素から管制とかいろんな空間情報をシームレスに繋げて、それをリアルタイムで処理していく仕組みがすごく大事です。特に南西諸島においては、民間の飛行場の状況、管制レーダーの覆域、民間の船舶が有する情報などが重要ですから、今でもかなりちゃんと調整されていると思います。しかし、情報共有体制を平素からしっかり作っておき、活用し、何かあってもきちんとメインテナンスされ、有事になっても持続可能な体制を築かないといけないと思います。

兼原　それは今は繋がってないんですか。

髙見澤　通常の情報としては繋がっていますよね。ただ、システムとしてコントロールできるようにはなっていないですかね。

武藤　ただ、それを繋げないという論理もないと思うけどね。むしろ管制するところでは、自衛隊も管制に従わないといけない。国交大臣側に全てコントロールがあるわけで、今はね。

髙見澤　スクランブルの時にどうするかとか、協定がありますよね。

武藤　スクランブルの緊急発進も多分、今の管制の中でやっているはずです。

髙見澤　それが有事の際にはどうなるのか。あるいは状況がより切迫してきた時に、どういうルールで航空管制をやるか。

武藤　制度的にはおそらく、管制は国交大臣がやると書いてありますから、国交大臣の管理の下で自衛隊の管制官がやってよ、ということになると思います。理屈はね。ただ実務上は、そこに飛行計画のデータをどう移管するかといった問題があるから、多分システムのその部分を自衛隊に見てもらうということになるんでしょう。

兼原　鉄道とかはどうですか。鉄道で運ぶものってきっとありますよね、弾薬とか。

武藤　それはあるでしょう、重いものとか、危ないものは鉄道ですよね。ただ自衛隊は鉄道利用を考えているんでしょうか？　多分、道路か船じゃないですか。

髙見澤　今は基本的には船じゃないですかね、やっぱり大量に運ぶということになると。本当は新幹線輸送か何かができるといいんですが。

武藤　新幹線は重いものは無理なんですよ。旅客便の仕様ですから。鉄道って有事の使い勝手は悪いと思いますよ。平時の輸送としては大事ですが。

兼原　自衛隊関係の輸送船である「ナッチャン」号を見に行きましたけど、外側に船主さんの娘さんの好きな漫画が描いてあるので、本当に漫画みたいな可愛い船なんですが、中は辞めた自衛官の方々が完全に管理しているし、前面を開けるとそのまま装甲車が入るようになっていますよね。元々フェリーですから、普通の軍艦と違って居住性はすごくいい。準備万端でいつでも出られるんですが、それだけじゃ運び切れないですよね。

武藤　だから外国の船社とも契約しているはずです。以前、台湾シミュレーションの時に、海幕の人からそう聞きました。外国船が内航船として運航する時には、許可を出してくださいと。外国船が内航を運航してはいけないというルールがあるんですよ。

髙見澤　一応許可制であって、禁止ではない？

武藤　一応ね、外国の船に内航はやらせないというのが世界共通ルールなんです。だから反対する人がいるかもわからないですが、許可すればいいんですよ。

南西諸島に物資を事前に運び込め

兼原　なるほど。でも南西方面の物資の輸送となると、ものすごい量ですよね、これは考えておかないと。日本の国の習性として、実際に戦闘になったら戦いの正面に思考の9割が行くので、兵站面がおろそかになりますから。しかも戦後の日本はずっと北海道が正面でしたから、台湾有事との関係で、南西諸島の防衛を真剣に考え始めたのはごく最近です。1000キロの海に島が点在していますから、輸送は大変ですよ。2024年度から輸送艦隊を作るという話が出ているようですが。

武藤　元防衛事務次官の島田和久さんが、有事の輸送は人員だけでも大変なのだから、重い弾薬とか武器などは現地に備蓄しておいたほうがいい、とどこかで言っていました。それはもうその通りですよね。

高見澤　南西諸島のほうは弾庫にしろ、備蓄施設にしろ本当に何もなかった。それこそ米軍の弾薬庫や燃料施設ぐらいしかない状態なので、インフラを普段からあちらのほうに移しておかないと厳しいと思います。今度の戦略で重視されているところですが。

兼原　武器とか弾薬とか、事前集積しておけばいいんですよね。戦車なんかも、日本は防衛大綱の別表通り、数が満杯になるとすぐ解体しちゃいますが、解体せずに南西諸島に置いておけばいい。

高見澤　アメリカがやっているような事前集積船みたいな形にするとか。ＰＯＭＣＵＳと昔言ってましたが、大きな場所があれば大量の軍事装備品を事前に海外に展開させて集積しておくというやり方です。それが日本の場合、予算制度上だめなんじゃないかと思っていました。

兼原　最近、財務省には、国家安全保障は自分たちの問題だという意識が浸透していると思います。ずいぶん変わりました。麻生太郎元財務大臣がよく言っていた「金がねえから負けたとは言わせねえからな」という感じになっていて、言えばやってくれると思いますよ。

あと今の話で思い出しましたけど、有事になれば、自衛隊機と一緒に米軍機も降りてきます。それを日本中の空港に割り振らないといけない。彼らはまた、滑走路の強度とか、いろんな細かい基準がありますから、米軍とも調整しなければなりません。

髙見澤　逆に言うと、たぶん代替飛行場とか展開飛行場としての条件というのが、いろんなプランニングファクターとしてあると思うんです。つまり常駐するような飛行場としてのリクワイアメント（要件）、緊急的に展開する場合のリクワイアメント、緊急避難的に降りる場合のリクワイアメント、そういうカテゴリーというのは自衛隊にもあるでしょう。そういうことを考えた場合、それぞれの飛行場がどういう機能を持てばいいのかという議論を事前にしておかなければならない。

武藤　米軍も一緒にという話ってまだ言われていないですよね。

兼原　それは外務省が早急に対応しなくてはいけませんね。

武藤　だとすると、対応のハードルが上がりますよね。

髙見澤　そうなんですけど、安保条約とか日米防衛協力のための指針とかを考えていくと、当然そうなるであろうということは、関係者はみんな知っている話ではあります。

武藤　知っているけど、実際の対応は想像していない、と。

兼原　実力的には、自衛隊が2で米軍が8ぐらいなので、米軍が戦えないと日本は負けてしまいます。しかも攻撃作戦の主力として前に出るのは米軍のほうです。岸田総理がトマホークや12式ミサイルを導入して、日本も反撃力を持ちつつありますが、米軍の敵地攻撃能力は圧倒的で、今でも自衛隊が盾（守勢）、米軍が矛（攻勢）という基本的な役割分担は変わりません。米軍の来援をしっかり支援する体制をきちんと取らなければ、中国軍やロシア軍には勝てません。

今の基本的な発想は、米国から空軍と陸軍、海兵隊が日本に入ってきて、分散、移動しながら戦う。海軍の主力、特に空母機動部隊の水上艦は脆弱なので、太平洋の奥に遠く下がって、巡航ミサイルや艦載爆撃機を飛ばしてくる。米空軍の戦闘機も、日本に常駐するのではなくて、主力戦闘機のF－22など、一旦引いてローテーションでやってくる、ということだと思います。

武藤　飛行機は航空母艦上で遠くにいて、そこから出てくるということですか。

兼原　空母艦載機の運用の柔軟性を考えれば、空母から来て、敵を爆撃して、そのまま空母に帰還することができればそれでよいですが、必要があれば日本の基地に降りて一旦補給ということも十分にあり得ます。その時、日本の米軍基地や航空自衛隊基地が爆撃されていて降りられない可能性を考えなければならない。その場合、民間空港に降りることになります。降りてもすぐまた飛ばします。飛ばさないと敵のミサイルでやられてしまいますから。分散化が重要というのはそういうことです。

武藤　ああいう航空機の燃料って特殊なんですか。

髙見澤　そうです。航空燃料で言うと、JP－4とかJP－5とか、軍用規格になっていて、旅客機など民間規格とは違っています。また、自衛隊の中でも戦闘機とか艦載ヘリなど装備や機種によって違います。JP－4は主に陸・空自、海自では主にJP－5です。最近では、民間空港での燃料調達の容易さなども考慮して、できるだけ民間と同じもの（JetA－1など）へと標準化しようとしているんじゃないかと思います。昔、JP－4とJP－5の燃料の区別がつかないまま補給して、きちんと動けなくて困ったことがあったらしいです。

ですから、補給の面から見ても事前にいろんな飛行場のことを実際に確かめるというのが、すごく大事なんじゃないかなと思います。

兼原　私は若いころ、外務省で地位協定担当、つまり在日米軍担当でした。日本有事、周辺有事の際の米空軍機の日本の民間空港使用問題は、日米安保条約と同じくらい古い問題です。今世紀に入ってから、ロシアのみならず中国、北朝鮮にもミサイルが大量に拡散して、ますます話がリアルになってきています。日本が巻き込まれる有事が始まったら、航空自衛隊の基地も米空軍の基地と一緒にミサイル攻撃される。そうなったら米軍の作戦機はどこに降ろすんだ、と。この話、日本政府は、実はずっとほっかむりで来たんですけど、台湾有事の本番になったらもう逃げられない。歴史のある根の深い話ですから、米軍自身は行きたいところはすでに決まっていると思います。

武藤　彼らなりの作戦があるわけですね。

髙見澤　ペーパープランは昔からありましたが、それがよりリアリスティックに必要になってきている。

武藤　あと道路も多分スペックを調べていると思います。重いやつ長いやつは事前に道路管理者が許可しないと通せない、となっていますから。

兼原　警察がやっている道交法の世界は、警察が許可出せばいいんですよね。

武藤　道交法の世界はね。それと別に、道路側のスペックに合うかどうかというのも考えないと。大きい特別なやつが動く時は。

兼原　そうだと思います。陸自は、機動力を上げなきゃいけないというので、本州と四国の戦車のキャタピラを外してタイヤをつけて、機動装甲車にしたんです。だから道路は普通に走れる。戦車はもう北海道と九州にしかないんです。
車輪だとキャタピラに比べて行動が制約されるけれど軽い。要するに、船で南西の島に持っていきやすい。あと砲身の長い高射砲は危ないので夜しか通っちゃいかんとか、そんな変な規則がある。規則に例外規定を作って一定期間許可するとか、道交法を逆に使って民間車を通さないことにするとか、いろいろやり方が考えられますが。

武藤　そこはもう警察の判断で、交通規制としてやればいい話なので。

兼原　こんなリアルな話も、そろそろ国民の前で話さんといかんと思うんですけどね。

武藤　ただ、長いものが通れるのかというチェックはやっておかないとね。あらかじめルートを想定しておけば、道路管理者側でチェックすればいいという気がします。

兼原　自衛隊は、順法精神はすごくしっかりしています。日本の戦車ってウィンカーがついているんですよ、ご存じでした？　平時、道路を走る時は、右へ曲がりますとか、ちゃんとやっているんです。戦場に出す時はカヴァーをつけて光らないようにするそうですが。何とも平和主義の戦車です。

東京の管制の問題

兼原　あと、東京の管制空域の話はもう大丈夫なんでしょうか。都知事だった石原さんが頑張って、東京上空の管制空域を在日米軍司令部のある横田に取られているのを取り返せみたいな話がありましたけど、あれはもう決着したんですか。

武藤　いや、もう決着ということはないです。でかい空域がドンと米軍にあって、そこをちょっと削らせてくれといって、カンナで削っているぐらいの話です。そこはアメリカがどう言うかですよね。

兼原　東京の空の管制空域って横田が持っているわけですよね。

武藤　持っているというか、あそこは基本的に民航機が通らないですよ。全部迂回している。だから、そこはちょっとよろしくと言って削ってもらっている。

髙見澤　石原さんの議論があった時にいろいろ調べましたが、当時、絶対に米軍が維持しなきゃいけない理由はどうもなさそうだと思った記憶があります。

兼原　いっぺん開けると銀座四丁目のような状態になって、航空機が混雑して、有事の際に民間機はどけと言いにくくなる、みたいなことを考えているのかもしれません。

武藤　だから米軍は困るって言うと思いますよ。大統領が来る時は横田に降りてくるわけですし。

髙見澤　逆に言えば、普段は民間も使うけれども何か事が起きた時は譲ります、規制に従いますというマインドセットがあったら、民間機もどんどん通せるかもしれません。空域が自由になって、値段も安くなってよかった、だけど何かあった時はすぐに譲るから全然問題ないですよという感覚になってくれればいいんですけど。

武藤　こっちはそういうことをずっと言っていますが、そうならないんですよね。

兼原　アメリカは、いっぺん譲ると今度は日本の左翼がワーッと出てきて「空域は絶対返さない」って言って頑張っちゃうから、いっぺん譲ったら使えなくなるという感覚なんだと思いますよ。

髙見澤　残念ながら、それもある意味正しい。

兼原　最近だいぶ変わってきていると思いますけどね。ちゃんと合理的にお互い話し合えるような環境になってきていると思うんですけど。

武藤　そのカードを日米の交渉でどう使うかということかもしれませんね。

造船は蘇るか

兼原　武藤さんは造船の現状についてはどうご覧になっていますか。
　元々、プラザ合意による円高の後で日本の造船の競争力が落ちたという事実がありま す。一方で、韓国や中国は、国防に絡むところには巨額の補助金を入れるので、造船に も補助金をたくさん入れた。日本政府には、戦後長い間、産業安保政策がなくて、それ を全くやらないので、競争力がゴソッと削げ落ちてしまったところがあります。

武藤　それでも自衛隊は三菱重工とか川崎重工には発注しているわけですから、それな りのビジネスはあったと思うんですよ。ただ、商船の分野ではさすがにコスト競争がキ ツかった。加えて日本の優秀な商船の造船技術者が中国や韓国に引き抜かれていってし まった。「給料、倍になりますよ」と囁かれた時に、日本の会社には止める力がなかっ た。今は今治造船が引き受けてくれていますが。

髙見澤　それはやっぱり技術流出にもなっていたわけですよね。

武藤　そうですね。だから技術流出になるよりはということで、例えば三菱重工は商船から撤退したので、商船の設計者は仕事がなくなっちゃったわけですが、そういう人たちを今治造船が受け入れています。そういうこともあって日本はまだ、造船で世界3位には踏みとどまっています。

兼原　IMO（国際海事機関）は、海運業界のCO$_2$排出をゼロにすると言っています。海運界のCO$_2$排出は全人類の排出するCO$_2$の2％なんだそうです。それで、主として先進国ですが、燃料を水素だのアンモニアだのLNGに代えて船を動かしている。こっちが主流になりつつあって、それをやらないとヨーロッパの港に入った時に炭素税を取られてしまう。その辺の新しい技術開発によって、日本の造船が生き返るチャンスはないんでしょうか。

武藤　その力はあると思います。新しい技術へのチャレンジが必要ではありますが、船腹量では3番目の国ですし。あと日本の海運会社って、実は世界の上位10社の中に3社が入っていて、彼らは日本の造船会社に発注しています。なかなかのものなんですよ。

兼原　造船会社が船を造る時、安全保障を理由にして補助金を出せないんですかね。

武藤　補助金は昔出していましたが、今はもうないです。むしろ、税による優遇措置がある。日本郵船が1兆円の純利益（2022年3月期）を出せたのは、標準課税を作ったからです。これまで赤字でも法人税を払っていましたが、コロナになって物流が活性化して、2年前から活況ですよ。そういう人たちが日本の造船会社に船を発注するから、そこは好循環がある。

兼原　なるほど。トン数標準税制の話ってお伺いしていいですか？　自分もちゃんと理解しているか自信がないですが、目的はとにかく有事になっても3割ぐらいは油が運べるように、という理解でいいでしょうか。

武藤　3割というか、日本人船員と日本籍船をちゃんと留保してね、ということです。

兼原　それで日本人船員と日本籍船をちゃんと使えるようにするという話ですよね。

武藤　現状では1割ぐらいですが、トン数標準税制を入れるのなら、日本人の船員と日本籍船をちゃんと一定数増やしますという約束はしているわけです。

東日本大震災の時に、福島原発事故の問題が理由で外国籍船がしばらく日本に寄港しなくなったんですよ。そういう時に日本の船だけは堂々と入っていって、やっぱり役に立ったよねという話はありました。だから有事の話は、全くしてないかと言うと、そういうことはないと思います。戦争のイメージはあまりないかも知れませんが、いろんな危機はありますから。

兼原　非常時に備えるべしという議論をちゃんと表に出したほうがいいですね。シーレーン防衛って、突き詰めれば日本関連船舶を守るということですから、もう少し手厚いトン数標準税制を考えたらどうかと思うんですけど。

武藤　世界の主要国の海運税制で、日本だけやってなかったんですよ。そこを世界と同じようにしてあげないとね、という話です。また標準課税の率が、もうちょっと低いほうがいいよねみたいな議論はあるかもしれない。あと他にも、日本の船にだけ固定資産税を取っている。そもそも、あれが固定資産なのかという話がありますが、その割引も今やっています。まだ掘るところはあると思います。

兼原　固定資産税は地方税ですから、港があるところの自治体や公共団体が怒るんでしょうか。

武藤　そんなにすごい額にはならないと思います。船にかかるコストだと、他にも入港料とかいろいろあるんですよ。入港料も安くしたりして船のコストを下げています。

兼原　考えてみれば、この国に1億2400万の人がいて、誰も不自由なく暮らしていて、その生活を支えているのが船です。日本人は、海洋国家なのに、海運の重要性に関するリテラシーが非常に低い。日本の主要海運3社で大体2000隻ぐらい。あと半分が外国の船として、４０００隻ですよね。たった４０００隻の船で、エネルギー自給率はゼロに近く、食料自給率も低い日本の経済や暮らしがもっているというのはすごいことですよね。

武藤　４０００もないんだと思う。日本の海運会社が外国籍で保有している船のほかに海外から第三国の船を契約してくることがあるから２５００ちょっとじゃないかな。そのうち日本籍船が２００なんぼですよ。

兼原　日本みたいな島国だと、船は鉄道や道路と並ぶ重要インフラと言ってもいいですよね。有事になれば、敵が一番初めに日本の商船隊を潰してやろうと思ったって、全然不思議じゃない。日本政府は、経済安全保障の観点から、海運や造船をもっともっと優遇してもいいと思うんですよね。「日本は海洋国家」というのは掛け声ばかりで、海事関係は政府の中でも目立たない存在です。海は若干、ババ扱いされている感じがあります。

武藤　まあ、空などに比べたら目立ちませんからね。

「むきだし」の海底ケーブル

兼原　では、次に通信の問題に移ります。谷脇さん、お願いします。

谷脇　通信で一番気になるのは海底ケーブルです。国際通信の99％は海底ケーブル経由ですので、これを切られると海外との通信に深刻な影響が出ます。そこで代替策として衛星通信に代表される非地上系ネットワーク、すなわちＮＴＮ（Non-Terrestrial Network）の重要性が高まってきています。

衛星通信で最近注目されているのが衛星コンステレーションでして、一番有名なのは、イーロン・マスク氏が設立したスペースX社が運営するスターリンクです。スターリンクの衛星は、大体地上表面２０００キロ以下の低軌道で約３０００の小型衛星が運用されており、これらの衛星を衛星間通信で協調動作させています。

スターリンクはかなり小型の衛星アンテナを介して高速通信を行うことが可能ですが、将来的には衛星からスマホに直接受信できるような形になっていくものと見込まれています。また、衛星コンステレーションを使うことで多数の衛星を経由して中継にも使えます。このため、海底ケーブルが切れた時に中継代替路として衛星コンステレーションを自前で持っておくことは必要だと思います。いまの日本はこうしたシステムを持っていないわけで、仮にスペースX社に依存するとしても、スペースX社が米国の民間企業である以上、日本の要望どおりに衛星コンステレーションが運用できる保証はありません。有事を想定すると、やはり自国でＮＴＮは持っておきたいというのが一つあります。

谷脇康彦（たにわき・やすひこ）
1960年生まれ。84年に一橋大学経済学部を卒業し、郵政省（現・総務省）に入省。総務省大臣官房企画課長、内閣サイバーセキュリティセンター副センター長、総務省情報通信国際戦略局長、総務省総合通信基盤局長、総務審議官などを歴任。2021年退官。著書に『教養としてのインターネット論――世界の最先端を知る「10の論点」』『サイバーセキュリティ』などがある。

それからもう一つ重要なのは、量子通信の実用化です。いま申し上げた衛星コンステレーションからデータを地上に落とすダウンリンクにおいて、途中でデータを取られたり改竄されたりするスプーフィング（なりすましによる情報窃取など）の可能性があります。こうした行為は、データの窃取・改竄という点でサイバー攻撃の一種と位置付けられます。これを防ぐために必要なのが量子通信です。関係省庁が連携した共同実証実験なども行われていますが、こうした技術開発を迅速に進めることも必要です。

それから電波の利用についても、やはり有事を想定した議論が必要になってきます。電波の有効利用という観点からはダイナミック周波数共用という仕組みがあります。これは、例えばアメリカの軍港で、軍艦が入ってきた時は軍に電波を使わせて、軍艦が出て行ったら電波が空くので民間に使わせる、という仕組みです。この仕組みを、電波法を改正して日本でも2022年に導入しました。具体的には、放送事業者が中継用に使用している周波数帯について、中継で使っていない時には携帯電話事業者に使わせるといったことをやっています。

この仕組みでは、どの周波数帯は誰が使っているというのはデータベース化されていますので、ひとたび有事になったら、このダイナミック周波数共用の仕組みを活用して、優先すべき通信を確立することを考えないといけないだろうと思います。ただ周波数は、ご案内の通りその周波数に対応した通信機器じゃないと使えないので、どこでも割り当てればいいというわけではない。やっぱり最初からいろんな事態を想定して、ダイナミックに割り当てができるような体制、仕組みにしておかないといけないと思います。

これに関連して、これまではNTT、具体的には持株会社であるNTT及び地域通信会社のNTT東西が、特に公共性が高い通信事業者として制度的に位置付けられ、NTT株式の政府保有義務（3分の1）の規定で担保しつつ、有事においても中核的な役割を果たすものとして機能してきました。このNTTの公共的な役割を担保しているのがNTT法ですが、安全保障の観点からは通信の公共性を誰がどのような形で担保するのかが重要であり、関係するステークホルダーを交えた落ち着いた議論が必要だと思います。

また、海底ケーブルの陸揚局やデータセンターの安全性の確保も重要です。データセンターや海底ケーブルの陸揚局が所在する場所は一般に知られていて、テロ組織などにそこを爆破される危険性があります。

しかも上空が無防備です。プラスチック爆弾を搭載した自爆ドローンが飛んで来て上空から攻撃する可能性もあります。有事対応を考えれば、データセンターは地下に作るのがベストですが、やっぱりコストの問題もあって、なかなかそういうことはできていないです。

兼原　千倉や伊勢志摩の海底ケーブル陸揚局なんて、プロの特殊兵が1人でも入ってきたら、一瞬で制圧されてしまいますよね。海底ケーブルの陸揚局は自衛隊の基地の中に入れたらいいんじゃないかと思いますが。

海底ケーブルはそんなに高くないんですよね。太平洋を横断しても300億円か400億円ぐらいです。海底ケーブルに使われている光ファイバーは曲げても折れない超ハイテクですけど、ケーブルの仕組みそのものは原始的で、地震や事故でしょっちゅう切れる。漁師さんが切ったりすることもある。

谷脇　海底ケーブルが漁船に切られることがあるのは確かですけど、そうした事案の中に工作船による妨害行為が含まれているという指摘もあります。

もう一つ問題なのは、レピーターです。海底ケーブルでは大体数十キロに1台、レピーターという装置を入れています。光信号は徐々に弱くなるので、もういっぺん増幅する装置です。そこを狙われて通信が傍受される可能性もあります。水面から非常に深いところに海底ケーブルは設置されているから大丈夫だと言う人もいますが、引き上げようと思ったら出来てしまう。こうした可能性は米国の専門誌でも数年前に取り上げられています。

兼原　そうなんですよ。海底ケーブルはいろいろなところで切れるので、日本周辺では日中韓台でチームを組んで切断ケーブルの修理を行っている。季節ごとに担当が決まっているそうです。どの国のケーブルが切れても、例えば「春なら日本が修理、夏なら中国、秋なら韓国」ということのようです。海底ケーブルが切れたとき、どうやって直すのか聞いたら、海底ケーブルを海底でひっかける装置を海に降ろして、切れた海底ケーブルを引き上げて、バチバチと繋ぎ合わせる。海底ケーブル自体は明治時代からある古い技術ですから、昔の通りやっている。

谷脇　そうです。補修作業は基本的に、海底ケーブルを実際に巻き上げてやってますから。

兼原　引き上げられるということは、逆に言えば切りに行ける、或いはレピーターを引き上げに行けるということですよね。「この辺にあるはずだ」と目星をつければ、自分の国のものではないレピーターも引き上げられる。お互いに切断ケーブル修理を季節ごとに請け負っているわけですから、互いの海底ケーブルの場所は分かっているはずです。悪さをしに行こうと思えば簡単でしょうね。

谷脇　そのとおりです。

衛星コンステレーションと量子通信

髙見澤　さっき衛星コンステレーションの話をされていましたけれども、今回の国家安全保障戦略の中で注目されたのが、「我が国の宇宙産業を支援育成する。衛星コンステレーションの構築を含めて」という点です。そうした施策が国家安全保障戦略に入ったのは、やはりこうした海底ケーブルの問題もどこかで意識されているからかも知れませんね。そういう関連性についてはもう少しきちんと説明した方がいいように思います。

兼原　宇宙戦略策定は、吉田圭秀現統幕長がNSC時代に強力に引っ張った分野なんです。地球から一番遠いところ、地上3万キロぐらいのところに赤外線衛星があって、これは静止衛星。その下、地上から200～300キロのところに偵察衛星が極軌道を沢山飛んでいる。人工衛星はどこの国の衛星がどこにあるか全部わかっている。宇宙は水中と逆で透明性の高い空間です。有事になれば、衛星に物理的に何かをぶつけたり、スプーフィングしたり、単純にジャミングしたり、地上基地を破壊したりしますから、衛星は全部、使えなくなる。だからアメリカは衛星コンステレーションでの対応を考えている。敵も全部を無効化することはさすがに無理ですから。

谷脇　衛星の数で言うと、スターリンクの場合で毎月50機程度を打ち上げている計算です。

兼原　あれは軽くて小さいし低いところを飛んでいて、役目が終わると成層圏に突入して燃え尽きるそうです。だからデブリが出ない。日本でも民間企業、スタートアップ企業を活用して、衛星コンステレーションを始めねばなりません。その上で、宇宙アセットの強靱性を上げるという議論をしなくてはならないと思います。

あと量子通信の話はまだ私たちが官邸にいた頃は出ていなかったですが、ＮＴＴは研究を進めていますよね。

谷脇　総務省のＮＩＣＴ（情報通信研究機構）やＮＴＴでも研究が進められています。

兼原　量子通信は、通信内容を抜こうとしたら通信自体切れるので、盗聴できないんですよね。

谷脇　実は今、何が行われているかというと、インターネット上の暗号化されている通信が窃取されてどんどん蓄積されていると言われています。おそらくそう遠くない将来に、それが量子コンピュータで全部解析できるようになると、暗号が危殆化して解読されてしまう可能性があります。そうすると過去の通信とはいえ、国家機密が解読されてしまうのではないかと懸念されているわけです。こうしたことも考えると量子通信や量子コンピュータの実用化に向けて研究開発をなるべく早く進めないといけないわけです。

兼原　量子コンピュータの解析速度はすごく速い。普通のコンピュータで解読に1万年かかったら暗号と言えますが、1分で解読できるようになったらもう暗号じゃない。量子コンピュータが出てくると、それができてしまう。中国は、あと10年もしたら、現在、私たちから盗聴してスパコンのデータベースにぶち込んでいる数十年分の外交軍事機密を全部読めるようになるでしょうね。しかも普通に中国語に翻訳して。

谷脇　そうですね。

兼原　暗号も量子コンピュータで作れるようにしないといけません。通信も早く量子通信に全部切り替える。量子コンピュータや量子通信にこそ、政府が経済安全保障の名目で、数兆円の開発費をつぎ込んでも惜しくないと思います。総務省の代表的研究所である情報通信研究機構（NICT）の予算が、民主党政権の時に半減させられてたったの250億円。1兆円でもいいのに。国会でも、こういう真面目な議論をしてほしい。

衛星コンステレーションは、スターリンクに乗っからずに自前で作ったほうがいいんですかね？　東アジアだけ重点的に監視するようなシステムを。

谷脇　日本としてやはり自前で構築・運用すべきだと思います。

兼原　コンステレーションに入れる衛星って、低軌道で地球の周りを常時ぐるぐる回っている衛星ですよね。相当数打ち上げないと、常時、日本の上にはいないですよね。

谷脇　そうですね。スターリンクでいうと世界中で約3000個上がっています。

髙見澤　どれぐらいのコストでできるのかという試算はありますか。

谷脇　衛星自体は小さくて安いです。打ち上げるロケットも再利用可能なものですから、全体としての費用も安い。ただし、運用技術の蓄積などが不可欠です。

兼原　2年で燃え尽きて、次を上げるだけの話なので、単純なものをいっぱい上げるという発想ですよね。

髙見澤　だから耐久消費財というより大量消費財ですね。

谷脇　そうです、いわば使い捨てですね。自国でこうしたシステムを持つとした場合、それを民間に委ねるのか、あるいは公共目的のシステムを国が構築して運用するのか、という議論はあっていいと思います。

兼原　スターリンクも相当ペンタゴンがお金を出していると思いますよ。国家安全保障上の開発目的だと言って、事実上の補助金をバーンと付ける。さらに国はアンカーユーザー（大口固定客）として一定の通信費を恒常的に払う。或いは、偵察衛星なら取れる情報を政府が買い付ける。それで商売が軌道に乗ったら、あとは自分で稼げというのがアメリカ流です。

谷脇　ウクライナの時も通信の途絶の可能性があるという話になり、ウクライナ政府の要請によってスターリンクの機器がウクライナに大量に持ちこまれましたね。

髙見澤　でも日本の場合は、マーケットが取れないという前提で考えないと難しいんじゃないですかね。

兼原　だからアンカーユーザーで政府が衛星コンステレーションを使う、使用料として年間何億か支払うという確約がないとだめなんですよ。画像も政府が「年間、何万枚買う」と事前に決めておく。そうすると、商売の見込みがたちます。民需が強くて儲かれば儲かったでいいですし、儲からなかったら政府の契約が支えになる。

やっぱりGAFAMに頼った方がいい？

高見澤　今の自前論というのはわかるんですが、現実的なことを考えるとやはりGAFAMとかスターリンク的なものに依存しないとしょうがないんじゃないでしょうか。民間との契約になるわけですが、国と国の間の協定的なものを噛ませて、情報が急に流れなくなることのないように担保しておく。

この前、政府クラウドの入札でIIJなど日本企業も応募していたというニュースがありましたけれど、国産のシステムを作る能力を持っていることはすごく大事で、それがないとなかなか交渉力も出てこない。国産でできればそれに越したことはありませんが、それで全部賄えるのかという部分が必ずあるので、GAFAMに依存する部分は残る。政府間協定に準じたような形で大きな企業にある程度は依存して、何かあったら国と国との間の約束違反になりますよ、みたいな契約形態を考えないといけないんじゃないか。

谷脇　そうですね。日米で政府間の取り決めをしておいて、いざという時には、それに基づいて運用するというやり方はあると思います。一方で、日本としてこういった機能を盛り込みたいと依頼をしても、アメリカの企業だとすぐには対応してくれないこともあり得ます。とすると、やはり自国でこういうシステムを持つことは重要だと思います。ただ全部自前でやると膨大なコストと技術力が必要ですので、どの部分は連携して、どの部分は独自開発するかといったバランスをとることも必要です。

高見澤　アメリカ側に「ここの部分はうちのこれをそっくり使ってくれ」みたいな条件で出せれば理想的なんだろうけど、なかなか飲まないでしょうね。

兼原　アメリカのシステムを補完すると言って、うまく相乗りすることはできないんでしょうか。準天頂衛星の「みちびき」は、米軍のGPS衛星を補完する形で機能していますが。

日本では政府クラウドの立ち上げがひどく遅れていますが、技術力ではアップルとかアマゾンにやらせないと無理なんですけど、コア中のコアの情報管理だけは日本でやるべきだと思います。日本の主要企業は単体ではGAFAMのような米企業に張り合う体力がないので、全員で協力してコンソーシアムを作って頑張って貰うしかありません。

谷脇　政府クラウドについてヨーロッパでどうしているかと言うと、やっぱり情報を二つの種類に分けていて、一般的な公開情報はＡＷＳだとかGoogleクラウド（ＧＣＰ）でいいです、となっています。一方で個人情報だとか機微性のある情報は、ソブリンクラウドと呼ばれる国内クラウドでやる。ドイツやフランスはそういうアプローチです。

じゃあアメリカはどうかというと、アメリカは一般的な公開情報も機微性のある情報も、どっちのカテゴリーでもＡＷＳです。アマゾンは米国の企業ですからＡＷＳはもともと国内クラウドですけれど、それでも機微性がある情報は、そこだけ切り離して専用リージョンにして一般のパブリッククラウドとは分けているんです。

欧米はこういう状況なのに、日本は機微性があろうがなかろうが、一部の機密情報を除いて、全部ＡＷＳに預けているわけです。やっぱり機微性がある情報は、ＡＷＳじゃなくて国産のクラウドに預けられるような選択肢、情報の機密性に応じてプライベートクラウドとパブリッククラウド、国内クラウドとＡＷＳなどのハイパースケーラーのクラウドを組み合わせてマルチクラウドで運用していくべきだと思います。

兼原　私たち安保屋の感覚で言うと、デジタル庁が見ている地方を含めた政府全体のプラットフォームと、軍事やインテリジェンスに関係する部署のプラットフォームがそれぞれ別個にあって、その間が日本政府の中でさえ架橋されていない。

安保系の官庁は、外務、警察、防衛などですが、防衛省や自衛隊は米軍とも繋がっていますから、すごく秘密保全が厳しいわけです。だから、軍事・インテリジェンス系のチームは、セキュリティが弱い一般の政府クラウドには繋げないという話になるんですよね。繋ぐのであれば、さっきおっしゃったようなソブリンクラウドのすごいのがあって、セキュリティも強く、「中国軍やロシア軍のハッカーだって跳ね返します。絶対大丈夫です」というふうにならないといけません。残念ですが、今は、安保・インテリジェンス官庁と経済官庁の間には、深い暗い谷がある。

谷脇　そうだと思います。安保系などはプライベートクラウドにして、絶対ほかのシステムには繋がないという形が必要です。

髙見澤　確かにそこの分離がしっかりできてないから問題になる。逆に分離することによって、横に全部繋がって、割と共通に使えるデータ基盤というのができたら、安全保障サイドも各省のいろんなデータを活用しながら作業できるし、各省にとっても他の省庁のデータとか、あるいは防衛関係でも、セカンドレイヤーの部分については一緒に使えるという形になる。そういう核を作らないと、リアルタイムで事態対応しなければいけない時に、共通のデータベースがないという状況になりますね。まずいことに今まさにそういう状態です。

谷脇　データの機密性とそういうデータを扱える人の認証を組み合わせて、このデータを扱えるのはこういうセキュリティクリアランスをとっている人でないとだめ、といったシステムをきちんと構築しないといけません。

髙見澤　デジタル庁では共通データベースのことをある程度、考えているはずだと思いたいですが。

防衛・インテリジェンス系とデジタル庁の相互不信

兼原　デジタル庁と話すと、防衛、外務、警察は何も協力してくれないと言うわけですよ。だから政府全体を繋ぎようがない、と。彼らは政府クラウドを1枚のプラットフォームにして、縦横斜めに検索がきく仕組みを作りたいわけですよね。ところがインテリジェンス、治安、外交、防衛関係の官庁は、セキュリティが弱いと言ってデジタル庁に付き合ってくれない。少なくともデジタル庁はそう思っている。

政府を退官した後の話ですが、私も一度、デジタル担当大臣に呼ばれたとき、大臣に申し上げたことがあります。「大臣、私たちインテリジェンス倶楽部は雰囲気が違うんです」と。インテリジェンスの世界は、デジタル庁のように、燦々と陽が当たるガラス張りの高層ビルに事務所を構えるような世界ではない。地下3階で鋼鉄製の分厚く重い扉をギーッと開けると、オレンジ色のランプが灯った薄暗い部屋にスクリーンが並んでいて、窓のない部屋でずっと作業している人たちがそれを眺めている。インテリジェンス関係の部署が仕事をしているのはそういう空間なんです。民間企業から出向してきた技術者が普通に働いているデジタル庁とは組織文化が違いすぎる。だから、なかなか一体感が生まれないんです、と。

安保・インテリジェンス系の人たちから見れば、経産省とか、デジタル庁の考える政府クラウドはまず秘密保全ができていない、セキュリティが甘すぎるというところから批判が始まるわけです。非常に機密度の高い画像情報を扱う内閣衛星情報センターだって民間人の技術者はいっぱいいますが、ちゃんと業務が分けられていて、エンジニアは機械しか見ていない。

政府クラウドを作るにしても、まず設置場所を内閣衛星情報センターの様に市ヶ谷の自衛隊の基地の中にして、ちゃんと民間の技術者と政府職員の執務するゾーンを分けるなどして、機密保全に万全を期さねばなりません。安保・インテリジェンス関係者は、「今の政府クラウドの議論にはとても乗れない。勘弁してくれ」みたいな感覚です。

谷脇　そうですね。政府クラウドの話においても、経済安全保障やデータセキュリティの観点をもっと重視すべきだと思います。米国のクラウドサービスでも主権免除があるので大丈夫だという話があるんですが、安全保障に関わるような事態を想定すればより慎重な対処をすべきだと思います。

それと、さっき髙見澤さんがおっしゃったように、クラウド化するというのはコンピュータ資源の共有化で運用コストを下げるということと、データの統合化と横連携によって新しい価値を作り出すことの二つの意味がありますが、どちらかというと話題になるのはコストを下げることが中心です。特に災害時を含む非常事態において各省庁や地方自治体のデータの共有や連携によって状況の全容を把握し、政府として迅速な対応をとるといった観点から政府クラウドをとらえることも大事だと思います。

兼原　私、現役の時に谷脇さんに会いに行って、「各省庁のコンピュータを繋ぎたいのですが、スパコンを買いましょうか。何十億になりますか？」と聞いたら、谷脇さんに笑われて、「霞が関にそんなたくさんの情報量なんかない。普通にサーバを揃えればよいから2億円くらいでいい」と言われたんですよ。覚えてらっしゃいます？

谷脇　いえ、全然覚えてないですよ。

兼原　「2億くれたらやってあげる」と言われたんで、北村滋内閣情報官のところに行って一緒にやろうという話になったんですが、各省庁を回ったら猛反発を喰らってしまった。絶対に自分のコンピュータは他省庁のコンピュータとは繋がない、と。

髙見澤　私もそう言っていたような記憶がありますね（笑）。

兼原　まだデジタル庁ができる前の話です。仕方ないので「インデックス」という組織を作って、コンピュータは繋がないけれど、各省から出向した職員を活用し、省庁間の連携をより円滑にすることで、情報を総合分析する仕組みを整えました。統合の原初形態かもしれませんが、ここまでは行ったんですけどね。

日本語の得意なＡＩ開発を

谷脇　最近 WormGPT という生成ＡＩがダークウェブ（特定の認証等を要し一般の利用者が容易にアクセスすることができない、いわば「闇」のウェブコンテンツ群）上に出てきています。

これはＡＩで脆弱性を見つけ出してマルウェアを作ったりフィッシングメールを自動生成します。このように攻撃者側ではＡＩの悪用はもう始まっていますが、それに対してサイバーセキュリティを守る側でも脆弱性診断などにＡＩが使われていて、いわばＡＩ対ＡＩみたいな状況になりつつあります。

そうなると、やっぱりナショナルＡＩ的なものが日本にもないとだめですね。現在の生成ＡＩの事前学習データは英語が大半を占めているため、日本語環境で使う場合にはパフォーマンスが落ちるという問題があります。産業技術総合研究所（産総研）が今、一生懸命ＬＬＭ（大規模言語モデル）を作っていますけど、規模で言うとアメリカのオープンＡＩ（ＧＰＴ３・５）の10分の1ぐらいです。

兼原　そういうところこそ、経済安全保障法制で生まれた５０００億円の「Ｋプログラム（経済安全保障重要技術育成プログラム）」の資金を使うとか、再度、立法して「ウルトラＫプログラム」を作って、防衛省、総務省、経産省所管の10兆円基金でも作って、ドンっとやればいいんですよ。

谷脇　まだ日本語を得意とするＡＩがないわけです。これは偽情報や誤情報によって社会の混乱を起こさせようとする認知戦の話に繋がってきます。例えば偽情報を検知する際にＡＩを積極的に活用していくことが必要になりますが、日本語の検知能力が劣後していると安全保障に関わる問題になる可能性もあります。したがって、日本語環境でのパフォーマンスが高く、かつ自国で制御可能なＬＬＭがどうしても必要になります。

髙見澤　フィッシングサイトのパターンをＡＩに学習させてフィッシングサイトを探すというシステムがあって、それを使うと九十何％かの確率でフィッシングサイトがわかるそうです。ただ、残り２％ぐらいは、過去のパターンを勉強しているだけだからＡＩでも見抜けない。言ってみれば、そこがＡＩ対ＡＩの戦いの最前線ということです。そういうことがおそらく、今現実にかなり起きてしまっている。

もう一つ、ChatGPT とか Generative AI の話で非常に興味深く感じていることがあります。この前、ある学会で聞いたのですが、日本語のソースが今、ある意味で宝の山になっているそうです。なぜかというと、日本語でされたいい研究はほとんど英語になっていないので、ＡＩのデータとして喰われていない。例えば日本の中国研究はすごくハイレベルだから、そこをちょっと英語で出すと、ものすごく注目される。そういう話があるわけです。だから、日本語の文化的蓄積の部分を、日本のちゃんとしたＡＩで自分たちで活用していけば、それが発信力になっていく。そこは各国に対しても新しい知的貢献となって、日本はすごいね、ということになるかも知れない。だから、知的基盤を自分たちで管理する形で国際化することが大事になる。

放っておくと、逆のことが起こるかも知れない。つまり、自分たちはよく知らないけれど、気がついたら日本語の知的ソースが Generative AI によって英語化されていて、それが逆輸入される。そういうことをやってはいかんと、そういう話を聞きました。要するに、日本語のコンテンツは実は国際競争力があるんですと。

兼原　中国研究なんて、満州経営の経験や戦前の東洋学の伝統のある日本が圧倒的に強いですよ。日本の中国学者や中国専門のジャーナリストは、余り英語で書かないから知られていないだけです。

谷脇　ＡＩも結局は膨大なデータを学習させて、プロンプト（ユーザーがＡＩに対して入力する命令や指令）に基づいてデータをアウトプットするものです。学習データが間違っていればＡＩの精度は落ちます。だとすると、攻撃者側が意図的に学習データの改竄などを行うことで攻撃対象国のＡＩの精度を落とし、重要インフラなどの運用に支障を起こそうとするようなサイバー攻撃だって考えられます。データの真正性、つまりインテグリティをどうやって確保するかというデータセキュリティの議論が、日本の場合、やや遅れている感じがします。

ヨーロッパでは、データガバナンス法が2023年9月に施行されましたが、その中で、データ保有者とデータ利用者の間を取り持つデータ仲介サービス事業者はデータの保管・伝送について高度なセキュリティ対策を講じなければならないという条件を課しています。ところが日本にはデータ仲介事業者にデータセキュリティの要件を課す法律がないんです。

大事なのは技術的に既に可能となっているインシデントシナリオを広く共有することだと思います。平時はもとよりですけれども、有事に偽情報や誤情報を恣意的かつ大量に流されて、AIの学習データも汚染されて精度が格段に落ちて、その結果として社会経済システムそのものが機能不全になっていくみたいなことが、今もう現実に起こりそうになっていると思います。

兼原　AIの話って、まだ国家安保戦略に入ってないですよね。

高見澤　括弧で1カ所だけ出てきました。「情報部門については、人工知能（AI）等の新たな技術の活用も含め、……情報分析能力を強化する」と。そこだけです。認知戦については、「偽情報等の拡散を含め、認知領域における情報戦への対応能力を強化する」

とあります。
　国家安全保障戦略は情報関係のところが全般的に弱いんですよね。

兼原　日本人は武士道ですから、フェイクニュースなどといった卑怯な宣伝戦は本当に苦手ですよね。敵を騙すという発想自体がない。サイバーインテリジェンスと対外情報機関の設置は、日本の情報機関の二大課題であり、焦眉の急です。

サイバー人材の育成は「Ｊリーグ方式」で

髙見澤　つい最近、国際安全保障学会のパネルで私がモデレーターをしている時に、「ところで日本に情報についてのまともな学者はいるんですか」と質問が出たんですよ。それで僕の隣に日大危機管理学部教授の小谷賢さんが座っていたんですが、苦笑いしながら彼がこう答えていました。「情報についてはちゃんとした教育課程がないんです」と。サイバーリテラシーを教育するならインテリジェンスリテラシーも一緒につけないとだめなんですよね。

谷脇　セキュリティ人材が圧倒的に不足しているという話は、私がＮＩＳＣ（内閣サイバーセキュリティセンター）にいた10年ほど前からずっとやっていますけど、状況は今も全く変わっていないと思います。

髙見澤　谷脇さんも私も、今年（2023年）、ある組織から依頼を受けて有識者会議のメンバーとして、サイバーセキュリティ、サイバー安全保障のための官民全体の人材育成に関するレポートを書きました。その法人立ち上げとは直接関係はないんですが、本当に人材育成は大事だと思います。

谷脇　防衛力整備計画において、自衛隊サイバー防衛隊などのサイバー関連部隊を約4000人まで拡充するとすれば、これを可能にするためのサイバー人材育成の仕組みが必要になりますし、こうした仕組みは民間とも共用することで民間のサイバー人材育成にも大いに活かせると思います。サイバーセキュリティ全般に言えることですが、安全保障の文脈でいえば密接な官民連携の形で相乗効果を上げていくという発想でやっていけばいいと思います。

兼原　アメリカのサイバー軍って、多分、世界のサイバー軍の中で、一番優秀な人間の数が多いと思うんですが、ちょっと普通の軍隊じゃないですよ。まず体力試験がない。学力試験もない。学位も不要です。やたらにゲームが強いといった子が選ばれる。普通の軍隊風の管理をすると、すぐみんないなくなっちゃう。社会的な弱者も多く、特別な管理が必要です。米国のサイバー軍には、その子たちを管理するノウハウがあります。探せば、日本にもそういう子はいっぱいいるでしょう。そういう子たちをリクルートして、ちゃんと社会人にして、茶髪、短パンにTシャツでいいからホワイトハッカーの仕事をしてもらう。Jリーグと一緒ですよ。日本はサッカーが弱いと言われていましたが、Jリーグを作ってみたら、サッカーがうまい子がいっぱい出てきた。

谷脇　イスラエルには8200部隊というサイバー系の精鋭部隊がありますけれど、子供の頃から数学ができる子を選抜していって、国で兵役が義務付けられているということもあるので、こういう若い人たちが8200部隊に入る。兵役を終えたら、そうした仲間で今度はベンチャー企業を作る。するとサイバーセキュリティ系の企業がいっぱい出てくる。まさにスタートアップ国家と呼ばれるだけのことがあるエコシステムです。

兼原　自衛隊のサイバー軍が本当に立ち上がったら、そこを退任した子たちが民間に行って、年俸数千万円もらったり、ベンチャーを立ち上げたりするようになって、雰囲気がガラッと変わってくると思います。今はとにかく人材がいない。

髙見澤　Jリーグの育成に学べということですよね。若いところからやる。プロが教える。最初は外国人の能力を借りる、みたいな。川淵三郎さんあたりに教えを請うのもいいかも知れません。いまの若いサッカー選手たち、すごいですよね。

兼原　すごいですよ。ちゃんと育った子が外国に出て、武者修行をし、日本代表のサムライブルーも強くなる。いい循環が生まれています。

通信の秘密と安全保障のせめぎ合い

谷脇　2022年の国家安全保障戦略では、初めて能動的サイバー防御の導入に言及されましたが、自国のネットワーク外において攻撃前に攻撃能力を無力化する能動的サイバー防御の導入に向けた具体的な議論は進んでいるんでしょうか。

髙見澤　本格的な検討はまだこれからじゃないでしょうか。

兼原　アメリカはＦＩＳＡ（Foreign Intelligence Surveillance Act）という法律があります。アメリカは戦勝国なので、盗聴は当然政府がやっていい。そういう前提から議論が始まって、そこにどれくらい憲法上の制約をかけるかという、日本とは逆の議論をするんです。特にネット時代に入り、データ通信が出てきてからは、情報機関にしてみれば、これは大変なチャンス到来だという話になっています。これまで音声を盗聴していたのが、突然、天文学的な量のデータがサイバー空間を流れ始めた。データは宝の山です。だから逆に政府のサイバー空間での情報活動に対する縛りもきつくなってきた。

米国のルールは、まず米国憲法が適用される米国内では内外無差別に電子監視はやるなということです。次に、外国でも、米国憲法が庇護しているアメリカ人に対しては電子監視はやらない。ところが、これ以外は、国家安全保障上の理由があれば、電子監視していいんだということになっています。ですから、外国の軍隊や諜報機関、テロリスト、犯罪者は当然電子監視の対象になります。同盟国も多分入っていて、日本も見られていると思います。

アメリカのあるポッドキャストでCIAを辞めた人が話しているのを聞いたのですが、「常時何人くらい見ているのですか」と聞かれて、「20万人」と答えていました。20万人を常時監視下に置いてデータを取っているわけです。そこまで多いと全部は見ようがないので、データをとって溜めておき、必要に応じて検索をかけて、整理、加工された情報を見ているんだと思います。例えば「兼原とアルカイダ」と入力して検索にかけて、「ふむふむ10回アブダビで会ってるな」とか。本当は私たちもそれをやらなければいけない。ブラックマーケットに行けば、日ごろ手に入らない情報も簡単に手に入る。

谷脇　そうですね。

兼原　金さえ払えば得られるデータもいっぱいあるし、解ける暗号もいっぱいあるわけですよね。情報の世界では、そこまで見ているのが当たり前なんです。更に、政府が暗号でガチガチに固めて守っているところでも、敵の優れたハッカーならするりと入ってくる。なのに憲法21条（「通信の秘密は、これを侵してはならない」）をお経みたいに言い続けて、サイバー空間の安全監視に強硬に反対する人たちがいる。日本では、未だにサイバー空間の安全確保のためのデータセンターの設置や、敵のコンピュータに逆侵入する能動的なサイバー防衛を認めない。世界的に見れば、異形の国です。

ネット空間は、距離と時間の制約がほとんどない完全人工空間です。そこに天文学的な量のデータが毎秒流れている。軍や情報機関のハッカーにとって、こんなおいしい空間はない。北京の執務室から、ワシントンのペンタゴンでも、市ケ谷の常設統合司令部でも、暗号さえ破ればクリック一つでどこでも侵入できる。スパイ（ヒューミント）よりもサイバーインテリジェンスという時代になりました。

各国とも、サイバー空間の安全に非常に努力をしている。サイバー空間を監視するべくセンサーを設置し、そこから大量のデータをスパコンに流し込み、悪意ある敵——軍の諜報機関や対外情報機関、身代金要求のサイバー犯罪集団、テロリストなど——が毎日仕込んでくるウイルスやマルウェアを弾き出す。そして、悪意ある敵側が守っているサイバー空間に逆侵入する。サイバー攻撃で身代金を取られたら取り返す。そのためのホワイトハッカー軍団が必要です。それがサイバー防衛隊です。

日本政府は、「能動的サイバー防衛をやります」という掛け声ばかりで、実は何もやっていない（２０２４年１月現在）。中国軍やロシア軍のハッカーから見たら、今の日本のサイバー空間は丸裸に近いですよ。

髙見澤　日本政府の検討が静かに進んでいるといいのですが。いずれにせよ、国民にわかりやすい切り口、ナラティブが必要だと思います。

兼原　安倍政権で集団的自衛権の容認が出来たのは、90年代ぐらいから北岡伸一元東大教授とか岡崎久彦元駐タイ大使のように、ずっと「集団的自衛権を認めないのはおかしい」と言っていた人たちがいたからです。第二次安倍政権の集団的自衛権行使是認は、最後の仕上げなんですよね。でも憲法21条の議論は、憲法９条と同じくらい古いイデオロギー的な対立が激しい論争なんですが、国民的レベルで全くなされていない。だから、

21世紀の今でも「それって何の話？」から始まっちゃう。

高見澤　法律論と実態論と国民に対する説明は、同時で組み合わせながら進んでいかないと前にいかないですね。

谷脇　おっしゃる通りで、憲法21条に定める通信の秘密と公共の福祉との間の相克、バランスというものがあるはずなので、それをどう見るかというところですね。従来の通信の秘密の解釈から一歩も動かないで、他方、サイバー空間の状況が激変していることには目を向けないというようなことではなく、こうした議論は課題を直視しながら国民的な議論を丁寧にして、明確に対応策強化に向けた方向性を決めていくことが重要だと思います。

二つに分かれるインターネットの世界

高見澤　中国は、国際場裏で新たなルール作りの提案を積極的にしています。特にサイバー空間をめぐる考え方の違いは国際的にも一層明らかになってきていて、インターネットについても、新しい方式を提案して、これまでの秩序を作り変えようとしているように思います。この辺は谷脇さんの専門分野ですが、どういう攻防戦の状況にあるのか教えていただけますか。

谷脇　サイバー空間の世界にも覇権主義国家の影響力が増してきているということだと思います。中国は New IP という主張をしています。インターネットはネットワークが相互に繋がるための通信手順（プロトコル）としてＴＣＰ／ＩＰという国際的に標準化されたものを使い、様々な人が持っているルーターが「自律・分散・協調」の精神で相互接続しており、中央集権的な要素がありません。これこそがインターネットが世界中で普及・発展してきた最大の要因の一つですが、覇権主義国家である中国としてはインターネットにおける国の管理体制を強化したい。そこで、最近はＩｏＴ機器なども増えてきているのでインターネットの中央統制的な部分を強めた新しい通信手順として New IP を導入すべきだという主張をしています。インターネットの運営の根幹をなす自由主義国家と覇権主義国家の対立がサイバー空間の世界に持ち込まれたという感じです。

こうした中国の主張は至るところで行われており、大人数の代表団を標準化などの国際会議に積極的に派遣しています。インターネットの技術標準を作っている国際組織であるＩＥＴＦ（Internet Engineering Task Force）は、New IP はインターネットが本来持っている自由度を喪失させるということで全面的に否定しましたが、今後こうした議論が再燃する可能性はあると思います。

インターネットはもともと研究者グループの中で使われていた自由なネットワークで、その運用体制の根幹が先ほど言った「自律・分散・協調」ということであり、その自由さがあるからこそ色んなネットワークの差異を乗り越えて相互に接続でき、新しいアイデアをネットワークに実装する自由さを確保してきています。だからこそインターネットはグローバルな社会基盤になったのですが、中央集権型のものを作って、国が管理するようになったら、それはもはやインターネットではない。これを分断されたインターネット（fragmented internet）とかスプリンターネット（splinternet）という言い方をしますけれど、そういう二つのインターネットが並存するような世界になってしまう可能性があるということだと思います。

髙見澤　中国はそういう世界を辞さないということなのか、あるいは様子見という感じなのでしょうか。

谷脇　中国はかなり本気で考えていると思います。ロシアも中国のスタンスに賛同しています。私はデジタル冷戦と言っていますが、サイバー空間が国家安全保障にとって重要なものになればなるほど、こうした国家間の意見の隔たり、相克というものが際立つようになり、冷戦時代のベルリンの壁がサイバー空間に作られていくという懸念が強いです。

高見澤　国際秩序形成という点では、グローバルサウスがどっちを向くかという議論をしていますが、インターネットの世界だけはある意味、人工的に壁を作れちゃう。

谷脇　そうですね。通信プロトコルの話もそうですけど、インターネット上で国が検閲したり、特定の表現について取り締まったり罰則を科す国がものすごく増えています。

アメリカのＮＰＯ団体である Freedom House が、毎年“Freedom on the Net”というレポートを出しています。インターネット上における表現の自由や報道の自由がどの程度確保されているか、また、それがどう変化しているかを定点観測するのにとても有益なレポートなのですが、それを見ると、インターネット上で自由に発言できる、行動できるという国は、70カ国調査して半分ぐらい。残りは不自由な国だと評価されています。つまり、国が民間レベルの発言や報道に制約を加えたり、特定の主張を繰り返しネット上で流して世論を操作したりしている。なので、やっぱりインターネットを介した情報流通のあり方も二つに分かれつつある感じがします。

髙見澤　今の rules-based order というのは欧米中心主義で、なかなか自分たちの意見を聞いてくれない、直してくれない、改善されない、と感じている国も多いですから、ネットに関して何か新しいものを作ろうという話があった時に、特に民主主義国でない国からすると、いい話ばっかりみたいに見えるんじゃないでしょうか。それは New IP という話以外にもたくさん出てきているような感じがしませんかね。

谷脇　インターネットは研究者の世界であって国や政治思想は関係ない世界だったのに、国がインターネットの果たす役割の大きさに気づき、積極的に介入してくると、現実の国家間の思想や主義主張の違いがサイバー空間にも投影され、とても歩み寄れなくなってきている。これがインターネットの運営のあり方、つまりインターネットガバナンスと呼ばれる議論の今だと思います。

髙見澤　だから余計に新しいルール形成とか、既存のルールの改善といったことが成り立たなくなっている。それ自体がナンセンスだ、みたいに感じるところが増えているんじゃないですかね。

兼原　自由な言論の上に統治のシステムが機能しているというのは相当成熟した民主主義国家なので、そうじゃない国は逆に出るわけですよね。むしろ電子監視技術を使って自由な言論を押さえつけようとする。インターネットは影響力が大きいので、独裁国家の為政者には魅力的だと思います。政府がすごく強烈な発信ができるし、逆に、みんなが発信する情報は全部取れちゃうし、誰が何を言ってるのか全部わかっちゃう。中国はウルトラ電子監視国家になっちゃったわけですよね。

髙見澤　そうでしょうね、最も支配的な自由なシステムは、支配する側が全体の管理をすれば、独裁者にとっては何でも自由にできるツールになる。

谷脇　中国ではモバイル決済で一番人気のアリペイの機能の一つである「ゴマ（芝麻）信用」が一般的です。これは利用者１人１人の信用をスコアリングする仕組みです。学歴、勤務先、資産、返済、人脈、行動といった指標ごとに信用スコアが算定されます。信用スコアが高いと銀行でお金を借りる時の条件が優遇されたり、各種の割引が受けられるようになります。この信用スコアは１人１人の行動をモニタリングして点数化しています。だから、みんなお行儀よくするわけです。我々からすればプライバシーを侵害しているように感じますが、個人の細かい行動を大量に蓄積し、これをＡＩを使って分析してスコア化しています。あえて皮肉な言い方をすれば、デジタル技術というのは１人１人を細かく管理するのに最高のツールだと思います。

髙見澤　いくら使い捨ての携帯を持って行っても、中国にいる間は必ず特定のアプリをダウンロードしないといけない。外国人も、およそ中国にいる限りはスマホから離れられず、そのスマホは中国が全部見ている。北京市内のカメラの数が充実した結果、スパイがずっと追い回す必要もなくなった。要するに、スパイよりよっぽど効率がいいということですよね。

谷脇　そういうことです。

髙見澤　とにかく特定のアプリをダウンロードしないと、中国ではホテルから外に出られない。それで実際ホテルから出なかったという話を聞きました。何となく、それでしょうがない、中国ってそういう国だから、となっているのもひどい話ですが。

だから中国に行く人は、スマホを使うのであれば、違うのを新たに購入してそれを使って、破棄してこなければならない。

兼原　本当に恐ろしい国だなと思いますね。

谷脇　パソコンを持参して出張しても、すぐにスパイウェアと呼ばれる監視ソフトがダウンロードされます。出張には専用のパソコンを持参し、帰国後は初期化してクリーンアップするというのも現実に多くの企業で実践されています。

髙見澤　中国人同士で中国政府批判をしようとして、誰かが喋り始めたとしても、それが自動的に記録されていたら、ＡＩの解析で次にもっと危険な発言をしそうというタイミングで「これ以上はやめとけ」と言われたりするとか。

兼原　そういうことなんですよね。昔は地道に盗聴したり、追尾していた人たちが、「便利になったね」と言いながらサイバー空間を使って同じ事をやっている。

私の知り合いが、元共産圏の某国に大使で行ったんですけれども、その国はロシアと仲が悪いので、昔のＫＧＢファイルを押さえている。「貴方についてのファイルもあげようか」って言われたので、貰って実際に見てみたら、自分が若かった時のことが克明に書いてあったそうです。いまは同じ事を、遥かに効率よくサイバー空間でデータを収集してやっているわけです。

谷脇　デジタル化による業務の効率化ということでしょうか。

兼原　そうそう、ロシアや中国のような諜報国家は何も変わっていない。サイバー空間を使って、情報収集能力が極端に上がった。彼らからすれば、何か特別なことをやっている気はなくて、昔やってたことが電子技術の発達でもっと便利になったというだけなんですよ。

髙見澤　本質は変わっていないわけですね。

兼原　日本で能動的サイバー防衛をさぼっているのは、政治指導層に、こういう非常に危険な事態になっているという危機意識がないからだと思います。

第４章　貿易と金融（高田修三、門間大吉）

兼原　今、政府が取り組んでいる経済安全保障は、機微技術流出阻止から始まりました。外為法（外国為替及び外国貿易法）の改正がとっかかりでした。外為法は本来、為替や貿易のルールを定めた法律ですが、１９８７年の東芝機械ココム輸出事件以来、安全保障貿易管理に活用されてきました。これを更に対内投資の分野で活用して、経済安保の手段にしようという試みが第二次安倍政権の時にありました。優秀な技術を持っている日本企業を敵対する可能性のある国に買収されないようにしたのです。

菅政権では悪意ある外国人、外国機関による土地の使用規制を手掛け、自衛隊基地などの周辺の土地売買を監視下に置いた。更に、岸田政権は経済安全保障推進法を定めました。この法案では、四つの柱を立てています。①重要物資の安定的な供給の確保、②基幹インフラ役務の安定的な提供の確保、③先端的な重要技術の開発支援、④特許出願の非公開、です。このように、政府は経済安保を意識して目先の課題に取り組んでいますが、では本当に台湾有事になったら何が起きるのか。財政、為替、貿易、物価、株価など、経済的な影響というところまでは考えていません。

高見澤　安全保障の観点から、内閣官房と関係省庁の連携は意識されるようになりましたが、経済、金融、あるいはサプライチェーンも含めて考えているかと言えば、まだ誰も考えていない。有事にならなくても、グレーゾーンのところでも、課題はどんどん出てくるでしょう。平素から経済安保と有事対応を組み合わせて、しかも政府だけじゃなくて民間も含めて考えないと、なかなかこの問題には対処できません。今日は経済産業省で製造産業局長をおつとめになった高田修三さん、財務省で国際局長をおつとめになった門間大吉さんをお迎えして、特に経済と金融の話に焦点をしぼって議論したいと思います。

寸断されるサプライチェーン

兼原　台湾有事になるとしたら、いきなり弾の撃ち合いにはならず、グレーゾーンの段階から互いに経済制裁を打ちまくっていくと思うので、中国と西側に広がるサプライチェーンは急速に閉まっていく。対中貿易の停滞や断絶をマーケットが読み込めば、おそらく台湾有事が始まった瞬間に株価も円も暴落するでしょう。

中国は台湾を封鎖にかかる。台湾に協力するのは日本、アメリカ、オーストラリア、イギリス、韓国、フィリピンなどでしょうが、中国はこうした台湾を支持する国々のサプライチェーンを切ってくる。例えば、重要鉱物資源の輸出拒否です。日本では、２０１０年の民主党政権の時、海上保安庁の巡視艇に「ミンシンリョウ」という名の中国漁船が体当たりしたことがあり、海上保安庁が酔っぱらった船長を逮捕しました。尖閣諸島周辺事案だったので、メンツを潰されたと思った中国政府は、日本が中国にほぼ完全に依存していたレアアースの輸出を全面的に止めてきた。こういう前例もあります。中国の措置が自由貿易違反であるとして日本はＷＴＯに提訴しましたが、正常化には数年かかりました。

中国がサプライチェーンを切ってきたら、アメリカも反撃するでしょう。アメリカはすでに中国に最先端半導体を出さない方針を打ち出しています。対中関税もさらに跳ね上がるかもしれない。本当に台湾有事になったら、中国の台湾封鎖に対抗して、中国大陸に海上封鎖をかけて、エネルギー資源を入れさせなくするかも知れない。そうすると中国はロシアやカザフスタンやトルクメニスタンといった中央アジアの国々以外からエネルギーを買えなくなる。

そうした事態が発生した時、西側と中国のどちらのサプライチェーンがどれくらい傷むのか。米中双方にまたがる複雑なサプライチェーンに支えられた日本の産業はもつのか。グレーゾーンから武力衝突までさまざまなグラデーションがあり、また、経済制裁も個人制裁から完全な断交まで、濃淡はいろいろあり得ますが、まずそのあたりの事情を高田さんにご説明頂きたいと思います。

高田　兼原さんのおっしゃる通り、これまで自由貿易経済体制が深化する中で世界各国間のサプライチェーンは相互に依存し合う関係になり非常に入り組んでいます。このサプライチェーン上の傷みの問題は、戦闘が始まるような最終局面というより、グレーゾーンの早期の段階から出てくるでしょう。実は我々は、それを疑似体験しています。2020年に新型コロナウイルスによるパンデミックが発生し、中国の武漢をはじめ各地でロックダウンが起き、生産や物流が寸断した時です。あの時に起きた身近な問題の一例を挙げると、例えばトイレの温水便座が出来上がらなくなったという話があります。

いまや便座もエレクトロニクス製品化していて、各社とも主要部分を中国で生産しています。人が近づくとセンサーが反応して蓋が自動で上がる。便座の中にコイルを巻き付けて温度調節機能を付けているわけですが、コイルを巻き付けるような人件費勝負みたいな工程だけでなく、リモコンの電子部品のようなかつて日本が得意としたような部分も気がついてみると中国に依存していました。昔のようにプラスチックの便座をくっつけて完成というわけにはいきません。便座がなければトイレが完成しないし、トイレが完成しないと住宅が完成しない。こうして新築住宅で完成が遅れてしまう事例が多発しました。

いろんな部品や商品が合流しないと出来上がらない最終製品は、サプライチェーンが寸断されると、影響を免れている部分が大半であったとしても、丸ごと出来なくなってしまいます。コロナの時には「便座がなくて住宅の完成が遅れてしまう」と驚きましたが、サプライチェーンの寸断でいちばん大きな影響を受けるのは、自動車産業です。

自動車の場合、ごく普通の自動車でも3万ぐらいの部品点数があって、大体1割ぐらいは中国製の部品が組み込まれています。仮に中国からの部品供給がストップしたら、代替品の調達は容易ではありません。コアな部品は安全性の認証が必要ですし、車の型式によって決まったものを決まった形で使っていくという前提で認証を受けていますから、似たものならオーケーということにはなりません。さまざまな特殊品もあります。部品が手に入らなかったら車が完成しません。自動車業界は在庫を抑えた非常にリーンな（無駄を排した）サプライチェーンマネジメントを作り上げていますから、完成品が止まれば川上の町工場も稼働をストップしなければなりません。

高田修三（たかだ・しゅうぞう）
1963年生まれ。東京理科大学上席特任教授。86年に東京大学経済学部を卒業し、通商産業省（現・経済産業省）に入省。資源エネルギー庁資源・燃料部政策課長、同石油精製備蓄課長、内閣府宇宙開発戦略推進事務局長、経済産業省製造産業局長などを歴任。2020年に退官。

自動車は日本の中で一番大きな産業です。ディーラー網、あるいは自動車関連の保険会社なども含めれば、自動車関連産業の人口は550万人にもなります。日本の就労者人口は6800万と言われているので、だいたい10人に1人は自動車のサプライチェーンが傷んだだけで何らかの影響を受ける。実際にコロナ禍の時、最初の3カ月間で生産が半減していますが、自動車業界は逞しいですから、例えばワイヤーハーネスが中国で調達できないならフィリピンで作って持ってこられないかとか、素早く動いてリカバーしていきます。いろんな代替ソースを日頃から考えています。そうやってよたよた苦しみながらも、なんとかしようと精一杯努力する。しかし、結局サプライチェーンが止まる、生産が半減するというフェーズになると、やはり激しく傷むわけです。門間さんのお詳しい金融のお世話になる企業も出てくるでしょう。そんなフェーズで、例えば納品ができなくなった中堅企業が借金を抱えていたりすると、つなぎ資金を手当できずに潰れかねないということになります。このような危機時には政府がすかさず無担保無利子で融資を行う制度を立ち上げねばなりませんし、政策金融機関やメガバンクなどとの金融面での意思疎通も非常に大事になります。

高見澤　在庫は、ほとんどないんですか。

高田　トヨタのカンバン方式は、米国のビジネススクールで分析されサプライチェーンマネジメントという言葉を生み出すほどになりました。それほど自動車産業はリーンに在庫をマネジメントしているということですね。そのような産業が日本の中で一番大きなウェートを占める産業になっていて、中国にもかなり依存した非常に複雑なサプライチェーンによって成り立っているわけです。

対中依存度が圧倒的に高いレアアース

高田　中国もそのあたりの重要性はよく分かっています。だからこそキラー技術、キラーコンテンツを手に入れて、これをできるだけ世界に売っていこう、そして相手の中国依存度を高めようとしています。そのことは習近平主席自身が中国共産党の財経委員会で2020年にはっきり言っています。だからこそ最近、日本をはじめ西側諸国では「デカップリングは難しいけどデリスキングはしなければいけない」という話になっています。1980年代から2010年代に入った頃までは世の中はまだ自由貿易志向で、世界最適生産が目指され、ある製品を作るのに、工程1はA国だけど工程2はB国に出し、それをC国に持っていってコストが最も小さくなるルートで完成させていくのが最適とされてきました。

しかし、近年ではこの自由貿易パラダイムはかなり変化していて、B国に地政学リスクや保護主義的な政策のリスクなどがあるなら、コストは多少上がってでも工程2を安全なところに移さざるを得ないと判断されています。こういうことがあって今、中国向けの外国投資も減り続けているわけです。

兼原　習近平には、自由貿易自体が世界全体を豊かにする公共財だという私たちのような哲学がありません。所詮、自由貿易体制も西洋人の作った仕組みで、自分たちが利用するだけのシステムだと思っている。だから相互依存関係を容易に武器化する。2020年の習近平発言の真意は、「台湾有事で貿易が止まったとしても、オレたちは痛くないが相手は痛い思いをするようにしておけよ」ということですよね。

高田　そういうことです。

兼原　ならば我々は、「相互依存関係を切れば、中国のほうが痛い」と思わせるにはどうしたらいいのかを考えねばならない。デリスキングで中国から出るというのは正しい動きだと思います。しかし、習近平が総力戦を考えているとしたら、今、私たちがやっているサプライチェーンのリショアリングとか、フレンドショアリング程度で、中国との総力戦という衝撃に耐えられるのかどうか。

高田　今は双方が中途半端な状態だと思います。西側陣営から見た時の中国の痛いところは半導体だった。そこで、全部閉めるわけではないですが、これから必要になる最先端半導体については、基本的にアメリカの技術を中国に出さないことにした。サムスン、ＳＫハイニックス、ＴＳＭＣが中国に工場を持っていますが、微細加工レベルで14ナノ以下のものは技術を出さないし、作れないようにする。

兼原　微細って14ナノ以下ですか？　7ナノ以下ではなくて。

高田　いや、14以下ですね。ですから２０２３年9月にファーウェイが、古い世代の製造技術を駆使して作られた7ナノレベルの国産チップで5Ｇスマホを発表した際には、大変な驚きが生じたわけです。

一方、中国から見て自分たちが優位なのはやはり希土類、いわゆるレアアースですね。より原子量の大きなものが重希土、小さいものが軽希土と呼ばれます。例えばジスプロシウムが入ると、強力な磁石になりますとか、あるいはランタンが入ると非常に高性能の屈折率のレンズが作れますとか、料理でいえば少量のスパイスの様なものなのですけれども、それが非常に効いて、産業の様々な製品にとって大事なものがあります。埋蔵量レベルでも中国は大きいのですけども、それを鉱石にし、さらに製錬までもっていくとなると、中国のウェートが一段と高いものになります。

例えば液晶ならセリウム、レアメタルも含めると特殊鋼ならタングステン、ＬＥＤならガリウムなどが必要になってくるので、こういうものを中国に押さえられると、作れなくなるものがかなり出てきます。そこで政府の方もレアアースの依存度を下げるべく、様々な代替技術開発をして、対中依存度を落としてきています。２００８年に90％であったレアアースの対中依存度は、２０２１年に68％まで下がりました。それでも依然68％あるわけですが。

彼らもサプライチェーンの中で、レアアース、レアメタルが非常に重要であることは十分認識しています。それで米国の半導体政策強化に対抗するかのようにガリウム、ゲルマニウム、黒鉛の輸出について許可が必要になるなどの規制強化をしてきています。

兼原　台湾有事が、プーチン露大統領が引き起こしたウクライナ戦争の様に、本格的な総力戦、消耗戦になるとしても、戦域は台湾周辺の地域に限定されるでしょうから、激しい戦闘はせいぜい２～３年でしょう。その２、３年の間、中国とのサプライチェーンが全面的に切られたら、日本経済は壊滅しますか?

高田　例えばレアアースの鉱山は中国でないところにもあったりするのですね。ところが、そういう第三国での鉱山開発を始めようとすると、中国産の鉱石が増産され価格が安くなる。

兼原　有名な話ですよね。第三国がレアアース市場に参入しようとすると、中国が世界市場への供給量を増やして価格を引き下げ、潜在的ライバルをあらかじめ潰して回っている。中国のやり方はえげつないと知人の欧州の人たちも怒っていました。

高田　しかし、戦時で本当に中国から鉱石が出なくなるとなれば、中国以外の鉱山に経済性がでてくるかも知れない。そのスピードが戦禍の進展と比べてどのくらいになるのか。仮に鉱山開発ができても、その先の製錬や精製などのプロセスも確保できるのか。これは全然見極められていないですね。

兼原　日米で作りましたよね、サプライチェーンの強化協定(「重要鉱物のサプライチェーンの強化に関する日本国政府とアメリカ合衆国政府との協定」、2023年3月)。

高田　はい、価値観を共有する同志国の間でサプライチェーンの協力をしていこうということです。例えば黒鉛については中国が管理・輸出許可の対象にしてくるので、カナダと日本で連携していこうとか、そういう手を日本政府も講じてきています。ただし中国以外の供給ソースで本当に必要なボリュームを十分に確保できるかどうかまでは、ちょっとわからない。

兼原　今やっているサプライチェーン強靱化は、デリスキングですよね。重要な鉱物資源を備蓄するとか多角化しようという話です。「量的にも価格的にも優位性のある中国のものを使ってはいるが、それを止められた時のためにバッファも持っておこう、そのために少し予算を使うのはしょうがないじゃないか」という、今はこういう議論だと思うんですよね。実際、どの程度まで進んでいるんですか。

高田　経済安全保障推進法（「経済施策を一体的に講ずることによる安全保障の確保の推進に関する法律」）が22年5月に成立して、サプライチェーンの強靱化として重要物資の安定的な供給の確保に取り組んでいるのですが、どの様な物資を特定重要物資として支援していくのかを23年秋に指定しました。そして様々な支援措置を講じていこうということで、今は何が重要技術かということをリストアップしているところです。

そういう意味で進んでいるのは、やはり半導体分野ではないでしょうか。

兼原　半導体に関しては2種類の議論があります。一つは経済安全保障の観点の議論です。中台が戦争になったら世界最大手の半導体ファウンドリが二つ（ＴＳＭＣとＵＭＣ）やられるので、半導体の絶対量が足りなくなる。だから自分たちのところにあらかじめ工場を呼んで作って貰おう、と。日本は熊本にＴＳＭＣを誘致しましたが、アメリカも台湾、韓国の半導体産業を誘致しています。ドイツにも似た動きがあります。

もう一つは純粋に軍事的な話です。14ナノ以下の最先端半導体は軍事転用されると兵器の性能がすごく上がるので、中国には売るな、作らせるな、真似させるなという議論。これは完全に安全保障の議論です。

後者は、戦時中の禁制品の議論に似ていますね。禁制品の場合、第三国の中立船舶が中国に輸出していたら拿捕してもいい。既製品は、没収して、捨てていいわけですよ。14ナノ以下の最先端半導体は、もう平時の段階から似たような世界に入りつつある。日本では最先端半導体製造を担うとされるのが、現状どこも成功していない2ナノ以下の最先端半導体の量産を目指す北海道・千歳のラピダスです。

経産省は、半導体供給を守り、最先端半導体を開発するために、結構すごいお金を入れています。経産省が戦後初めて、安全保障という名目で予算をつけました。刮目に値することだと思います。

「中国にとっての日本」と「日本にとっての中国」の差

高見澤　もう一つの論点としてちょっと気になっているのは、輸入市場における集中的供給財の比率です。これは、2～3年前に経済白書かなんかで分析していたと思いますが……。普通の物資、普通のコモディティ的な半導体も入るのですが、その対中依存度がアメリカとかドイツと比べても日本は圧倒的に高い。50％以上を中国に依存している、通関品目の数が圧倒的に多いという話で、当時分析がされていたと思います。そちらのほうは逆に、中国側が止めても、市場原理で他から調達できるのか。

おそらく3段階あるんだと思います。非常にハイテクの部分と、ややハイテクの部分と、コモディティ的な部分。それぞれの段階で、サプライチェーンとしてどこにどういうふうに依存しているかをよく理解しないと、対応を見極めるのは難しそうですね。

高田　そうだと思います。この依存構造の把握からして簡単ではありません。例えばA社がB社から部品を買っていたとする。B社は日本の会社だから大丈夫だと思いきや、製品の一部分は中国の工場で作っている、なんていうのは普通です。でも、製品の一部は中国で作っていますなんていちいち言わないですよね。ましてや中国で買っている材料が、その会社の製品の性能を微妙に上げるような差別化の鍵になるようなものならなおさらです。それは会社にとっては競争力の源泉ですから。思わぬものが思わぬところに潜んでいるのがサプライチェーンの難しさです。

メーカーもそれぞれ、Ｔｉｅｒ１の人はＴｉｅｒ２に、Ｔｉｅｒ２の人はＴｉｅｒ３の人に、「どこで作っているんですか」「どんなリスクがありますか」と一生懸命問い合わせはしている（注　Ｔｉｅｒは「階層」の意）。それは別に地政学リスクだけじゃなくて、大きな台風や地震が起きたりした時にサプライチェーンが止まってしまうことを怖れているからです。新潟中越沖地震で自動車のピストンリング工場が止まってしまうと新潟とは遠く離れたところの自動車の完成車工場が操業停止になる、というようなことを２００７年に経験しています。いろいろ努力しているのですがそれでも、完全に洗い出せるかというと難しい。サプライチェーン自身も生き物ですし、やはりビジネスですから非開示部分は残ってしまう。なので、デリスキングはするけれども、絶対大丈夫ですよという状態を作りだすのは無理があると思うのです。

さっきの高見澤さんの話で言うと、三つ目の汎用品のカテゴリーかもしれませんが、ノートパソコンの99%が中国製、携帯電話も83%が中国製――iPhoneも組み立ては中国ですから――というように、レアアースのように注目されるもの以外でもいろんなものが相当に中国に依存しています。

2000年の段階で、中国にとって日本は17%も占める大きな輸出相手だった。しかし今では、中国の経済がどんどん大きくなって、日本は中国にとって5%の輸出相手でしかない。一方、日本の輸出は2000年当時、中国向けは6・3%でした。それが2022年になると19%が中国向けで、中国が日本にとってトップの輸出先になっている。ですので、仮に貿易がストップしたら、日本は輸出先の2割を失うが、向こうは5%ですからかなりインパクトが違います。

兼原 だとするとやはり戦略が必要ですね。戦争が始まったらまず軍事的に勝てることを先に考えますから、経済は第2戦線になってしまう。習近平の頭で考えれば、「オマエらは俺の輸出の5%。でもオマエらにとって俺は最大の輸出先だ。そんな経済依存状態で本気でオレと戦争する気か?」となるでしょう。だから、「こっちを怒らせたらもっと痛い目に遭うぞ」という部分を、普段から知らしめておかなければいけない。

高田 それは本当にそうですよね。中国はコロナ問題をめぐってオーストラリア産の石炭やワインの輸入を制限したり、カナダ当局がファーウェイ幹部を逮捕したことを受けてカナダ産の菜種輸入を抑制したり、既にその輸入パワーを用いた威圧的振る舞いを行なっています。この経済的威圧と呼ばれる動きに対して、23年の広島サミットでは声明で懸念を表明するとともにG7で連携していくことを合意しています。

兼原　「日本はアメリカの対中制裁と共同歩調を取る。ヨーロッパも一緒だ。西側全体の経済規模はそっちの2倍。それでもやるのか？」というところに中国を追い込んでいかないといけない。サシで喧嘩したら負けるわけですから。中国は、相手が孤立していて弱いと思うと、水に落ちた犬の様に打ってくる。

高見澤　日本の中東石油に対する依存度は、オイルショック後一度落ちてから、またすごく上がっているじゃないですか。日本の中国との貿易額は、大体20〜23％で、この10年ぐらいはあまり変わっていない。けれど中国から輸入する品目の中身はどんどんハイテク化している。

高田　中国の産業構造はもう発展途上国のそれではないですよね。製造業が構成比27・7％で、サービス業が52・8％です。農業はもはや7・3％なので、高度成長を経た後の日本の構成と同じか、サービス業がより大きくなっている感じです。貿易の中身を見ても、主な輸出品はエレクトロニクスをはじめとする工業品ですね。

兼原　中国人は孫子の兵法の人たちなので、敵の強いところは突いてこない。弱いところを突いてくるでしょう。少し前に福島原発の処理水を問題にしてホタテなどの水産品を禁輸ターゲットにしましたが、次はやっぱりまたレアアースですかね。

高田　アメリカによる半導体の輸出規制強化が2022年の10月に始まって、それに対抗してガリウム、ゲルマニウムについての輸出許可取得を必要とするというのが2023年の8月に始まった。それから黒鉛を承認の対象にすると10月20日に発表しました。

ガリウムの輸出許可は、言ってみればまだ「牽制球」的な意味合いの施策だと思います。ガリウムはパワー半導体に使われます。パワー半導体はどういうところに使われるかと言うと、典型的なのは例えば電車の車両制御です。パワー半導体は高電圧・大電流を扱うことができるので、大規模な電力を効率的に制御することが可能です。電車の動力制御やブレーキ制御に適している。パワー半導体は耐熱特性についても通常の半導体よりも優れています。そういう特性上、今まで半導体が使いにくかったところにもはまってくる。そこに使われている物質としてはシリコンカーバイドが先行していますが、いずれガリウムナイトライド（窒化ガリウム）が伸びてくると言われています。

一方、ゲルマニウムはＬＥＤに使われています。蛍光灯からＬＥＤに代わっていく流れは続いていますから、需要はどんどん大きくなる。

今のところガリウム、ゲルマニウムが止まったとしてすぐに困るような状況ではないと言われてはいますが、やはり中国の供給ウェートが大きいし、そういうものが将来脅かされる可能性はある。ＡＩなどに使われるような高性能半導体とは違う領域の半導体ですが、それに必要なものも、やはり中国に握られている状況があります。

また黒鉛の方は磁石やバッテリーに使われます。磁石は高性能モーターに不可欠です。ですから磁石とバッテリーを制すると、ＥＶとドローンを制することができる。

これから自動車はＥＶになっていく。また航空兵器も人が要らなくなって、ますます小型化していく。ドローンの航続距離を決めるのは、軽量かつパワーが長持ちするバッテリーと、エネルギーロスの少ない高性能モーターです。そういう未来の重要なコンポーネントの基幹材料を、中国は既に押さえにかかっているわけです。

高見澤　これは全固体電池が出来たら、また変わってきますか？

高田　全固体電池は電解液が要らないので軽量で、もちろんパワーがありゲームチェンジャーになる可能性はあります。ただ、仮に日本が全固体電池を世界に先行して開発できても、他の分野で起きたように、諸外国のキャッチアップも激しく、日本だけが全固体電池を作れているという状態が長続きするか心配ですね。

経済的にも反撃の方法を考えよ

兼原　政府は最近、特定重要物資の安定供給に関する政令を作って、それでいろんなものをカバーさせていますけれども、あれでどのぐらい日本経済の強靱度が上がるかは分からない。究極的には「有事に日本経済が死ななきゃいい」という話だと思うんですが。

髙見澤　安保のほうの発想から言うと、そういうことが仮に起きてしまった時に、またそれがある程度長く続くかもしれないという場合に、どうやって対応するかを考えておく必要がありますね。

兼原　政府が考えているのはグレーゾーンの初期ぐらいのところまでで、中国との関係が全面的に切れるというところまでは多分考えていない。

高田　そうだと思います。ですのでＢＣＰ（事業継続計画）でコンティンジェンシープラン（緊急時対応計画）を考える時に、１００％無傷でいられるような体制を作るというのは土台無理だという前提で検討するべきです。私、以前に宇宙安保関係の仕事をやっていましたが（内閣府宇宙開発戦略推進事務局長）、米軍の宇宙作戦においても、全ての衛星が守れるとは考えていない。必ず脆弱性があって、そこは傷む。その時にミッション継続のためには何が最低限必要なのか、それがどのぐらい維持できるのか、そしてどの様にリカバリーしていくかを考える。高見澤さんの言う安保的発想だと、逆算して考えるわけですね。

しかし現時点の経済安全保障推進法に基づく特定重要物資の指定では、何がリスクが高いものなのかの最初の洗い出しくらいの段階で、それがどういう状況下において、どのぐらいの持続性を持つのかまでは、まだ見極められていないと思います。

高見澤　今の話でちょっと思いますのは、企業は企業としてのリスク判断を普段はやっているわけですが、いざ有事となった時に自分たちに何ができるのかという発想を持っていただくのが重要じゃないか、と。有事になったら自社への影響ができるだけ及ばないように、と考えがちですが、影響があるのを当然の前提として、そういうプランニングの助けになるような策を経済安保の枠の中で考えるべきじゃないか、と思います。

高田　企業の方には、尖閣で中国船が海保の船にぶつかってきた2010年、あるいは日本政府が魚釣島の購入をした２０１２年、中国で大変な反日運動に遭遇したという記憶がある。あの時に産業界の方々とコミュニケーションをとらせていただきましたが、当時からチャイナプラスワンと言っていました。あれから約10年の間で、中国の工場は第三国への輸出基地に使うという発想ではなく、伸びる中国国内マーケット向けの供給拠点である、という位置付けが強まりました。世界市場への輸出を担うのは低賃金のプラスワンのほうで、繊維ならバングラデシュあたりになる。企業は企業なりにいろいろ考え、対応してきていると思います。

しかしサプライチェーンにはいろんなものがあるので、全部そんなに綺麗に分かれているようなものではない。デリスキングはしていますが、デカップリングしたような状態にはなっていない。

髙見澤　プラスワンの先が、また中国に依存しているという構造が多分ありますよね。実質プラスワンになっていない、という。

兼原　ちょっと話が戻りますけれども、サシで制裁を打ち合うと日本は負けちゃうので、撃たれたら撃ち返すという抑止力の世界を経済にも持ち込んだ方がいい、と思います。中国がアメリカから売ってもらわなければ困るもの、結構あるはずなんですよね。今は中国にやられた日本を守るという二国間の議論ばかりしていますけど、西側全体でまとまって中国を攻める発想もなければいけない。

髙見澤　兼原さんがおっしゃるとおり、日本だけでなく西側全体で対応していくことが大事です。でも物流が止まった時に、我々としてどうやって国を回していくかという施策は考えておくべきでしょう。備蓄とかの話もあるでしょうし、リユースみたいな話もあるでしょうし、あるいはもう生活水準を下げてしまうという話もある。そういうところの仕組みを考えないと、なかなか制裁といっても難しいんじゃないか。

災害発想では対応できない部分もありますが、できるところもいっぱいある。我々が使うものを減らす、今まで使っていたものの使用期間をのばす、無駄を省く、といったところで頭の体操をしておくような感じかなと思うんですね。ちょっと寂しい話ですが。

高田　ちなみに今、手元にあるデータで、中国がどこの国から一番輸入しているかを見ると、中国の統計では韓国がトップで9・5％。先ほど中国は日本にとって輸出の2割を占めると申し上げましたけど、日本は中国にとって9％を占める2番目の輸入元の国になっている。日本からの輸入品はおそらく機械系でしょう。それから3番目が台湾。台湾からは半導体を輸入しています。米国が先端半導体技術の中国移転について規制を始めていますが、中国の輸入品の15％が集積回路です。

兼原　日本の輸出は結構ハイテク品が多いんじゃないですかね。代替が利かないような。

高田　特に精密で複雑な動きのできる高性能な工作機械ですね。ドイツと日本の工作機械のレベルには、まだ中国は追いつけていない。

高見澤　緊張状態が高まって中国側が閉めてきたら、中小企業のほうが影響が大きいでしょう。中小企業の人は中国の技術指導を受けたりして助かっている、という現場の話を聞いたことがあります。むしろ中国のほうにノウハウがあるという感じになってきているので、日本の中小企業が実は一番きついんじゃないかという感じがします。

中国側の一番の弱みは食料だという議論があって、これはエドワード・ルトワックなんかがそう言っていますが、近年の中国はそこに気付いて変えつつあるという話も聞いたことがあります（第１章参照）。

高田　そうですね、中国は農産品輸出国なんかじゃない。農産品の大消費国ですから。

門間　すみません、さっき企業が万が一に備える場合の手立てを国が作らなくちゃいけないという話がありましたが、民間企業は競争にさらされていますので、過大な在庫を置くことはできない。競争力がなくなって、市場から追い出されてしまいますから。

ですから政府としては、彼らの競争力を維持しながら、しかし有事の際にどこまでそれに対応できるかという、すごく難しいバランスを考えていかないと、政策自体の持続可能性がなくなってしまいます。

兼原　今の経済安全保障推進法に基づく特定重要物資安定供給に関する制度は、政府が必要なお金を政策的に出すという話ですよね。しかし本当に、それで耐えられるのかといったら別の話です。習近平の考え方は、ちょっと日本陸軍に似ています。総力戦、消耗戦を前提に、有事の際に技術からエネルギーから食料から、すべて戦争になっても耐えられるような、戦時、非常時の自給経済への移行を目指しているのではないでしょうか。逆に言うと、だから平時の経済があんまりうまくいっていないのかもしれません。

変わってきている独禁法の運用

髙見澤　今の門間さんの話だと、独禁法の改正も考えなきゃいけないのかもしれないですね。有事には同業のグループ間でリスクを共同で負担できるような仕組みにするとか。ヨーロッパのほうでは割とそこができているという話をちょっと聞いたことがあるんですけど、日本では独禁法が怖くて相談もできない、といった話をよく聞きます。

門間　その辺は業種によってもだいぶ違っていて、おっしゃるように在庫の共通化でコストが下げられる部分もあるんだろうと思いますが、そうじゃないところも結構ありますので、業種ごとに持続可能な有事のための備えというのは、それぞれで考えていく必要があるんじゃないかなと思います。

髙見澤　日本は企業の数が多すぎるという話もありますよね。同業での競争が激しすぎて、そこが有事の体力に影響するかもしれない。

兼原　私、これ一回、公正取引委員会の人に聞いてみたくて、恥ずかしくて聞いたことがないんですけど、グローバル企業は世界市場で競争相手がいっぱいいるわけだから、日本では1業種1社でいいじゃないかと思うんですよね。韓国は90年代の金融危機の後、国内企業の統合が進みました。でも日本の独禁法ではナショナルマーケットで見るので、国内に会社が三つなきゃいかんみたいな議論になる。それでは国内の競争で体力を奪われて、国際市場で戦えない。

高田　いや、独禁法の国内シェアについての運用は変わってきています。2010～11年に経産省で産業活力再生法という法律の改正をやっている時、その議論がありました。

当時、公正取引委員会の独禁法の運用が、まさにシェア重視一辺倒なのではないかという批判がありました。産業界の方にもマグマが溜まっていて、当時、『文藝春秋』に新日鉄会長の三村明夫さんが、公正取引委員会の規制がいかに酷いかを寄稿されたりするまでに至っていました。例えばグループ会社の株の買い増しをして企業結合度が上がるような事案の審査に際して、最初の年にいろいろ質問が出てくる。答えを返して次にいよいよ審査かと思いきや、担当の役人が変わってしまう。それでまた同じプロセスのやり直しになってしまう、と。昔だったら一般の雑誌に経営者が当局の批判を投稿するなんてあり得なかったでしょう。当時、担当課長をしていましたが、産業政策局の産業再生課が公正取引委員会と意見交換を重ね、経産省と公正取引委員会が産業活力再生法の認定について協議を行う仕組みが同法に加えられ、現在の産業競争力強化法に引き継がれています。こうした背景で2012年には新日鉄と住友金属が合併して新日鐵住金（現・日本製鉄）という、国内シェアの約6割を占める会社が出来ました。まさに国際競争だからということで認められました。その後、さらに東京証券取引所と大阪証券取引所の合併という非常に高いシェアの合併も認められて、2013年には新しい東京証券取引所が発足しています。案件によってはいまだにシェアに引っ張られているように思われるものもあるかもしれませんが、変わってきている面もあると思います。

兼原　なるほど。でも安保的な観点で言えば、各業界でもうちょっと再編してもらった方が経済安保の話も何かとしやすいですよね。

高田　そう思います。日本でなぜ欧米みたいに産業再編が進まないのかと考えた場合、労働市場の問題が結構大きい気がします。企業が合併すれば、管理部門の人員は必ず減るわけです。工場で必要な人数は変わらないかも知れませんが、社長、役員をはじめ、財務や人事などの管理部門は合理性を追求するならば約半分で十分となってしまう。そうするとやはり雇用の問題になる。従業員の幸せにも責任を持つ経営者としては、転職が難しい日本の労働市場を考え、再編とは別のやり方で頑張ってしまうというところがあります。最近は若者はどんどん転職したりして、だいぶ変わってきましたが。

兼原　さっきの高見澤さんのお話に戻るんですけれども、現在、中国に出している技術や製品や投資を、これから安保上の理由から出さないようにするというのって、外為法でできるんですかね。かつて冷戦時代にはココムの下でやっていましたが。

高田　外為法上の輸出規制品は、例えばワッセナーアレンジメントなどのレジームの中でのコンセンサスがあります。テロとか紛争地域に渡ってはいけないものは規制対象にするという形でやっているので、随意にあれだめこれだめとはやれない。

兼原　ワッセナーは、冷戦後に主流になった枠組みで、共産圏だった中露もみんな入っているから、中国をターゲットにした輸出管理は無理です。でも、北朝鮮に対してはやっていますよね。

高田　はい。北朝鮮向けは人道目的以外の輸出は全部だめです。外為法の執行は、我が国が締結したワッセナーアレンジメントなどの安全保障上の国際約束を履行するための措置と、我が国の平和及び安全の維持のための特に必要な措置（外為法10条）とあり、北朝鮮向け経済制裁は後者の措置で、全面禁輸になってます。

兼原　あれは法律には、北朝鮮と国名が書いてあるんでしたっけ。

高田　国名ではなく閣議決定（10条1項）と国会承認（10条2項）の組み合わせです。

兼原　じゃあ中国の場合も、戦争になれば経済制裁としての禁輸もできますね。

外為法のチマチマ運用で間に合うのか

高見澤　韓国は最近、自分のところの産業を守ったり、相手に対して物資を出さないようにするための法律を作ったという話を聞いたんですよ。日本の法律では国際の平和と安定という目的にしていますが、韓国の場合は自分の安全保障のためにそういう規制ができるようにした、と。今後、制裁がお互いにエスカレートしていくような時、相手は自由に制裁を発動できるのに、こちらは外為法の運用でチマチマと対応するというのでは、かなり苦しいという気がしますが、そういう感じはないんでしょうか。

高田　これまでの外為法は、国連決議等の執行に際しての道具という役割だと思います。日本がどのように輸出入のエスカレーションに対応していくのかということは、平和主義とか自由貿易の基本姿勢に関わることだと思います。例えば、ホタテなどの水産物に対して中国が原発処理水を理由に規制を打ってきた。それに対して、何か対抗措置は講じないのかという議論もありますが、中国のＷＴＯ上の不当行為に対して我が国もＷＴＯを無視した対抗措置を講じて良いのか、という反対の議論もあります。

そもそも平時なのかそうでないのか、何か対抗措置を講じるのか講じないのか、という議論が最初にあり、その結果何らかの措置を講じるということになれば、それを実現するための道具を考える。その際には為替管理から立法された外為法の法目的に照らしつつ外為法の措置で対応するのか、安全保障を主目的に違う制度を新たに立法する方が良いのか、といった検討になると思います。
兼原さんがおっしゃったように、一対一でやったら負けてしまうわけですから、例えば半導体の対中規制の場合では、日本にも優れた半導体製造装置メーカーがありますが、ＥＵＶ（極端紫外線）露光装置の唯一の企業であるＡＳＭＬの参画が不可欠で、同社のあるオランダと協調しています。これは今、外為法の政令の追加でやっています。

高見澤　だから、まさにそこのところが政令追加でいいのか、という議論です。高田さんがおっしゃるとおり、外為法は為替管理から立法されている法目的に照らしつつ運用されるものですが、外為法の延長が、いわば伸びきったような状態になっていないか。新しい状況に対しても外為法を思い切って改正することができるのか、またそれで十分なのか。サイバーセキュリティの関係でも安全保障基本法の制定をといった声がありますが、ご指摘のとおり、安全保障を主目的に違う制度を新たに立法するというアプローチも検討すべきだという議論じゃないかなと思うんですよね。

兼原　外為法は元々、終戦当時、日本が荒廃しきっているときに、お金とモノの出し入れを管理していた法律で、前文にある国際社会の平和と安定みたいなところに引っ掛けて、むりやり用途を広げて経済安保の手段として活用してきた。その過程で、「他国がそう判断しているからうちもやるんです」という理屈をずっと作ってきたわけですが、どこかでそれを反転させて、「この国の安全のためにやっているんだ」という自主的な法律の立て付けにした方がいいと思うんですよね。経済安全保障貿易管理法みたいなものがあったっていいんですよね、本当は。

高田　そういう考えもあると思います。様々なツールの制度設計は、頭ではできると思うんです。ただ本当に安全保障にかかわる法律を、与野党間のスタンスの隔たりがあるなかで国会を通して制定させるとなると政治的な意志も相当必要で、なかなか難しい様に思えてしまうのです。

兼原　でも集団的自衛権だってできたじゃないですか。集団的自衛権よりは、はるかにハードルが低そうですが。

髙見澤　成り立ち得る制度の案については、具体的にどんどん考えていかないといけない。そういう法律を作ろうと思うと、いろんな事実も調べるし、イメージが湧いてくると思いますが、それが止まっているのがよくない。

昔の話ですが、「防衛庁における有事法制研究について」という統一見解が1978年9月に出されました。これについては、その後作業があまり進まなかった理由として、このタイトルに四つの「悪」というか、問題が凝縮されているという話をしたことがあります。まず、「有事」ということは、もう日本に対する攻撃がなされるという時だけに場面を限定している。それ以前の平素からの対応が重要だということには焦点が当たりにくい。「法制」ということで法律問題だけに限定しちゃう。法律は対応するための一手段なのに、実際にどう対応するかはあまり考えない。「研究」というのは、逆に言えば立法化しないということを意味していた。当時の理屈としては、研究だから許されるでしょうという感じでした。最後に「防衛庁における」と言っているのはどうか。他省庁は関係ありません、防衛庁だけでやりますから迷惑はかけませんという話です。

ですから、一つの法律に立脚して、その在り方を狭く狭く考えるという発想では難しい。我々が直面している問題そのものにどう立ち向かっていくか、政府全体で、また官民挙げて対応を考えるべきなんです。そのためにどういう制度が必要かについて過去の発想に囚われず、幅広く考えるべきだと。これを具体的な形に落とし込むことが大事です。それを政治の場に持っていくと、そんなものはとても通らないと言われることもあります。しかし、事情が変わると、あの時の検討はどうなっているのか、ちゃんと詰めてあるだろうなと言われるわけです。その時は、「そんなことやるなと言っていたじゃないですか」と反論せずに、「ありがとうございます」と言わないといけない、多分。

兼原　政治家なんて、そんなものですよ。何か物事が起きると、それまでは「そんな大それたこと考えるな」「ダメだ。政局になるぞ！」と言っていたはずなのに、国民からの批判が始まると、突然、手のひらを返したように「どうして準備してこなかったのか！」「○○省は無策無能！」って文句を言い始めるわけだから。

高田　かつて90年代に中国の繊維製品対日輸出についてWTO上のアンチダンピング関税を発動するか否か議論されることがあって、リーガルな人は当然WTOの制度に則って粛々と訴えていこうとする。一方、中国側は訴えたなら不買運動が起きることを示唆したりとWTO上の対応とは異なるゲームで日本を揺さぶったりする。すると「WTO以外は考えてなかったのか！」となって、全体のプロコン（長所と短所）を考えてアンチダンピングは打てないと手のひら返しになってしまう。

兼原　グレーゾーンはそういう議論になるけれど、戦争になる時は経済制裁の打ち合いはエスカレートしていくんですよ。抑止とは、強い方が弱い方を止めるということですから、エスカレーションを止めようと思ったら、自制するのではなく、より強い球を打っていくことになります。弱い方がエスカレーションを止めると言ったら、それは屈服するのと同じことになります。

門間　本当に必要なものは、それは法律だろうと何だろうと、私は通ると思うんですよね。これによって戦争が抑止できるとか、戦争のエスカレーションを止められるというのであれば、それは通るような気がしますね。

経済安保にもエスカレーション・ラダーを

髙見澤　ちょっとテーマと離れるかもしれないんですけど、どうもそういう発想がなかなか持ちにくい状況に、いまの日本があるんじゃないか。つまり我々は平時モードで、まさに法律なんかも立法事実のあるものに限定して、常にミニマムで対応しているわけですね。ところが今の世の中というのは、経済と安全保障とかを全部繋げて考える。そうすると普通の国は、こんなことをやられるのだったらこの手を使えということで、総合的に、また柔軟に対応するわけです。ところが日本の場合は、政策手段が限定されていたり、法目的を非常に厳格に解釈したりするので、対応ができない。

それで事態が深刻になってくると、やっぱり何とかしなきゃいけないというので、そこで急に立法する。そうすると、日本は急に強硬な態度を取ったみたいに言われてしまう。普段から手段がないからギアチェンジができない。というか、うちのギアは2段ぐらいしかなくて、他の国はもっとあるというような状況なんですよ。

兼原　普通の国は戦争をしたくないから経済制裁を上げていく。戦争させないための経済制裁って、アメリカは手段をいっぱい持っているじゃないですか。中国もいっぱい持っている。彼らは何だってやります。ところが日本は、これがほとんどない。

門間さんが言われたように、日本国民って賢いから、いざとなったら必要なことは何でも通っちゃうんですよ。9・11事件（2001年）の後に、小泉総理から海上自衛隊を突然出せと言われて、インド洋に海上自衛隊の護衛艦を5隻出しましたけれど、あの時、（総理の発言から）テロ特措法が国会を通るまで1カ月なかったですよ。ただし、ああいう泥縄はやはりやめた方がいい。台湾危機が近い時に、アメリカがワーッと制裁を打ち始めて、うちは追随して、中国にばんばん報復されて、日本でも制裁のための法律作ろうという時がくるかもしれません。その時にどんな法律を作るのかは、やっぱりあらかじめ考えとかなきゃいけない。はっきり言えば、経済制裁法ですよね。

外為法の延長線上でやっていくのも、ぼちぼち限界じゃないかなという気がします。

高見澤　防衛力の世界では抑止とエスカレーション・ラダーと言いますが、経済安全保障もそういういろんなラダーが必要なのではないかと思います。縦深的経済安全保障法みたいなイメージですね。核抑止のロジックと同じで、手段はあるけれども行使には非常に慎重。今は手段があると使うからということで、手段を増やすこと自体を抑制する。それで本当に使わなきゃいけなくなってから一生懸命に手段を作るんですが、実際に法律ができた頃には必要性が薄れている。

そうじゃなくて、普段から手段が重層的にあって、どれを使うかはこっちで選べるという感じに転換しないと非常に厳しい。外為法は、何かあったら対応します、何とか考えます、という立て付けですからね。

高田　東芝機械事件がいい例ですね。静かな潜水艦のスクリューを削れる工作機械のソ連への不正輸出が米国で議会を始めメディアでも大問題になりました。問題が起きて輸出管理を強化しないといけないことになり、すぐ外為法が改正されました。

高見澤　アメリカとの関係で微妙なところは、おそらく日本企業も同じように思っているところだと思いますが、表向きは一応止めていることになっているけれど、ちょっとはやってもいいよ、という部分をどうやって確保していくかという点です。

例えば対ロ制裁でも、外務省とか内閣府がいろいろやって、「これは禁止するけどこっちはいいことにする」、「アメリカは不満だけどもちゃんとここは担保した」みたいな話があったように思うんですよね。そういう意味でのグレーゾーンにおける他企業との競争、他国との競争では、政府としてはこの部分を踏み切るというようなフレキシビリティも必要なんじゃないか。だから、すぐに物資や技術を止めるという抑えるほうの機敏性と、禁止されているか微妙な分野で他国が制裁外であるとして出す方に踏み切った結果、突然置いていかれそうになる場合にフレキシブルにやるという二つの側面の塩梅《あんばい》をうまくするということが私は必要だと思います。

現実に、最近はそういう動きをしてきたんじゃないですか。対ロ制裁を見ていても、金融当局も経産省も、その辺は非常に巧みに動いている感じを受けるんですが。

兼原　2022年に始まったウクライナ戦争での対ロ制裁はいい例です。NATOは戦争に介入しないので経済制裁と武器・資金・情報供与しかやりません。だから、ロシアをSWIFTから外すとかから始まって、制裁をばんばん打っていった。中国に対しても同じようなことをやるでしょう。ただ、世界経済から孤絶していたロシアを切ってもアメリカは痛くないですが、米経済と深く繋がった中国を切っちゃうとアメリカも痛いので、どこまでやるかという話になりますが、戦争して米兵が死ぬぐらいだったら先に経済制裁を打つということになると思うんです。アメリカが何をカードとして切ってくるかは考えておかないといけないですよね。どうせ付き合えって言われるわけですから。すみません、そろそろ門間さんのご専門である金融のほうに話を移しましょう。

アメリカのイラン制裁への付き合い方

門間　話の流れで貿易に関係するところから、ちょっと意外だと思われる話をまずしましょう。2011年に東北の大地震があって原発が止まり、電力が足りなくなる、原油の輸入も辛くなるという局面で、米議会でイランに対する経済制裁を盛り込んだ国防授権法が可決されました。イランからの原油輸入をサブスタンシャルに減少させないとアメリカの金融制裁にあう、日本の銀行だって取引できなくなるぞ、という内容でした。この法案は議員提出のもので、「サブスタンシャル（相当な、充分な）」には何の定義もなかった。だから日本がどのくらいイランの原油を減少させれば大丈夫なのかが全然分からない。そこで各省が集まって議論したんですが、「万一にも日本の銀行がドル決済できなくなったら日本経済に大打撃だから、イランからの原油輸入は全面的に止めたほうがいいんじゃないか」という話になった。

私は担当審議官じゃなかったのに、急に当時の国際局長からおまえやれと言われて、アメリカに行くことになりました。事前に国防総省の友人に話を聞いた後で、国務省と財務省の連合チームと交渉したんですが、結局アメリカ政府も「サブスタンシャル」をどう定義していいか分からない、ということが分かった。そこで私はこう言いました。日本はこれだけの地震があって原発も止めている。火力発電に頼らなければならない状況だ。しかしイラン制裁が必要だということも分かっているから、可能な範囲でやりたい、と。そこで、イランからの原油輸入量の減少分を非常に小さい値にして、それでも「日本にとってこれはサブスタンシャルな減少である」という理屈を言ったんですね。

そしたら今度アメリカ政府が、「でも、これは議員立法だから、議会から撃たれたら我々としても対応のしようがない」と言う。でも、日本の状況が厳しいことは承知しているので、日本から「これはサブスタンシャルな減少である」ということを議会が設定した期限より早めに議会に打ち出してほしい。議会の方で不満があったらいろいろ言うだろうが、その時はそこで対応すればいい、と。でも結局誰からも文句はなくて、日本は本当にちょっとしか輸入を止めなくて済んだ。

ところが、イランからの原油輸入減少問題はそれだけでは済みませんでした。引っかかったのは、イランから原油を運ぶタンカーに付保する損害保険の問題です。日本の保険会社でも保険はできるんですけど、再保険ができない。すごくリスクが高いので、ロイズ以外は再保険を引き受けられないんです。

それでどうしたか。みんなで協議して、再保険をなんと日本の予算の総則に書いたんですよ。「何かあったらちゃんと保証しますよ」というのを財務省主計局に頼んで予算総則に書いてもらった。加えて、一応法律も必要だよねということになったら、みんな嫌がったけれど国土交通省の方が、「わかった。じゃあ我々が連休潰して1週間で法案を作る」と言って、議員立法に仕立てて国会を通したんですよ。

そういうことをやったから、仮に中国との間で問題が生じた時には、そうしたやり方は使えるかも知れない。またロイズみたいに「再保険の引き受けはできません」となったら、予算総則に書き込んで政府保証を与えるというやり方はありえる。日本の経済が安全保障面からガタガタッとくるのは避けたいですから。

兼原　素晴らしいですね。

門間　あの時、結局ＥＵはイランからの原油輸入を全面停止したんですよ。実はごまかして輸入していた某国もありましたが、日本は真面目だからアメリカとちゃんと協議して、何％減らすということでやった。でも欧州が原油の輸入を全面停止したので、ロイズも「だったらうちも再保険はやりません」ということになってしまった。戦争リスク保険って高くなってきているので、どんなに大きい損保会社でも日本では引き受けられ

門間大吉（もんま・だいきち）
1958年生まれ。81年に東京大学経済学部を卒業し、大蔵省（現・財務省）に入省。ケンブリッジ大学留学、世界銀行出向、外務省経済協力開発機構日本政府代表部一等書記官、財務省国際局地域協力課長、防衛庁管理局会計課長などを歴任。2012年国際通貨基金（ＩＭＦ）理事、14年財務省財務総合政策研究所長、15年財務省国際局長。16年に退官。

ないんですよ。ロイズかスイス・リーくらいしかタンカー規模の原油の再保険のリスクをとれるところはないのです。これは実は、経済安全保障で重要な視点です。

兼原　これはシーレーン防衛とも関わってきますが、船舶貿易の場合、船主さんと船を運用する会社が違うんですよね。船主さんが船を持っているわけですが、1隻数百億円するので沈んだら丸損になってしまう。保険が付かない船は絶対に運用しない。

ロイズは、戦争が始まると「ここの海域は除外海域である」といって保険を付けなくなる。そうすると船は絶対にそこに入らない。台湾有事ではおそらく、南シナ海と東シナ海が除外海域になるでしょう。第一列島線と呼ばれる南西諸島と第二列島線と呼ばれる小笠原諸島の間の西太平洋も戦闘区域になるかもしれない。中国の潜水艦がうようよ出てくるかもしれません。今サハリン3が米国の制裁対象になって、サハリン3から原油やガスを日本に運ぶ船舶保険が付かないという話になっていますが、政府が乗り出して日本の保険会社に保険を付けさせているはずですよね。

ドル不足への対応

門間　貿易の関係でもう一つ言うと、貿易取引の資金決済のために必要となる外貨の問題もあります。輸銀（現在の国際協力銀行〔ＪＢＩＣ〕）の融資のような、国による公的な融資がすごく大事になると思うんですね。実際リーマンショックの時にドルが枯渇して、中南米では貿易がほとんど止まるというようなことがあった。日本は当時、外為特会で保有するドルを国際協力銀行経由で日本企業に融資したりして対応しましたけれど、同時に世銀とか米州開発銀行など国際機関からドル資金を南米に送って輸出決済に使ってもらうよう国際的な協力もしました。

台湾有事で生じる問題には東南アジアなんかも巻き込まれるでしょう。それはサプライチェーンの問題も含めて、日本の経済にとっては深刻な事態になるので、決済資金の提供など金融面での支援も必要になると思うんですね。

ロシアのウクライナ侵攻でも、まず真っ先に反応したのは為替市場でした。ルーブルの為替価値が下落しました。１ドル＝60から70ルーブル程度だったのが、１７７ルーブルぐらい、つまり半分以下にルーブルの価値が下落したわけです。ロシアの中央銀行はどうしたかというと、直ちに政策金利を大幅に引き上げた。８％ぐらいから20％まで上げたんです。それで耐えて耐えて、今だんだん為替が戻ってきたので、金利を下げてきた。

もしそういうような事態になった時に、円の価値はどうなるか。2011年3月、東北の大震災の時、私は円安になると思って、もしかしたら為替市場を閉鎖しなくちゃいけないかなと考えていたのですが、実際には急激な円高になった。これはなぜそうなったかというと、一種のデマが原因です。地震であれだけの経済被害が出たので、日本の損害保険会社が地震で受けた被害を保険で支払うために必要な資金を手当てするために海外にある資産、すなわちドルを売って円に替えて、それで保険の支払いをするだろうというデマが流れた。円高になって、輸出にものすごく悪い影響があり、財務省はG7各国に働きかけて、最後はG7による協調介入で円高を止める努力をしたんです。

もし今の状況で日本に何かあったら多分円安になる。ルーブルは半分以下に下がりましたが、円も今よりさらに円安になって、輸入物価が大幅に上がるというようなことが起きるんじゃないかと思います。それに対応するためには、何とか為替を安定させなくちゃいけない。その時にはアメリカだけではなくG7の枠組みも使って協調して為替市場を安定化させなければいけないと思います。

髙見澤　為替スワップとか、そういう感じの話をフルに発動する、と。

門間　そうなると思いますね。リーマンショックの時ですら、米国のFRB（連邦準備銀行）は各国通貨とドルのスワップをいくらでも出せますよということをやったわけです。

ただね、この時もアメリカの準備銀行が出したのは短期資金なんですよ。1年以上の長期のドルは枯渇したんです。長い話を短く申し上げると、日本の名だたる輸出企業でもドルの市場からの調達が困難になった。例えばアメリカで商売している自動車メーカーも、期間2～3年ものの債券を発行してその資金で車の購入者にオートローンを提供して車の販売を推進していた。ところがその債券の支払いを借換債を発行して融資を継続しようにもドル資金を調達するめどがつかなくなった。ドルが枯渇して借り換えができない。要するに資金繰り倒産する危険があったんですね。結局、あの時は外為特会で保有するドルをＪＢＩＣ経由で日本企業に融資した。それは結構、役に立ったのではないかと思います。

さっき総力戦とおっしゃいましたけど、やっぱりいろんなことを考えていかなきゃいけないと思います。外貨、やっぱり最後は貴重になりますから。実際にはどうするかというと、輸出企業にドルを9割ぐらいは中央銀行に戻してくださいね、というお願いをしなければならない。外貨集中制という、戦前にやっていたようなコントロールをしなくちゃいけなくなると思うんです。そうじゃないと円の暴落は止められない。
もちろん、経済活動にはものすごい負の影響を与えます。企業側は、これだけ国際化していますから、そんなことやっていられないみたいな反応になるでしょう。今それをやっているのはロシアとかミャンマーです。
いずれにしても、短期的には為替の安定が不可欠なので、経済に相当な影響を与えたとしても、政府の介入によって為替を安定化させる。金融の目詰まりを解消する。いろんなところを政府がやっていかなきゃいけないということになると思います。

高見澤　サプライチェーンの寸断とか言う前に、為替の話は真っ先に来ますからね。実際には為替、国債、株のトリプル安みたいな感じになるんですかね。

門間　だと思います、もちろん先ほど申し上げたようにデマで円高になるなんてこともないわけではないかもしれませんが、普通は円安になるでしょう。企業の物資の調達も、エネルギーの輸入も非常に難しくなる。そこをどうするのかはかなり難しい問題ですね。

強い円がエネルギーセキュリティになる

高見澤　グレーゾーンからだんだん戦争になっていくような時になると、今度は物資の緊急生産をお願いするみたいな話も出てくるでしょう。今までの企業のやり方を変えてくれということなので、そうした予算で何兆円というお金も必要になる。

兼原　財務省はコロナ対策で100兆円出しましたよね。台湾有事に際して、1000兆円単位の異次元の財政出動をやろうと思ったらやれる。あと始末は大変でしょうが。

門間　コロナが起きた時に財務省がどう思っていたかというと、「平時にもっと財政再建をしておかないと大変なことになる」ということですね。コロナがあり、ロシアのウクライナ侵攻があり、これからもいろいろと大変なことは起こるでしょう。結局もっと借金しなくちゃいけないのに、国債の格付けはそんなに高くない。

日本国債は既に借換債を含めると、2023年補正後で1000兆円以上発行しているんですよ。そのうち期間1年以下が32％もあるんです。半分以下は期間2年未満。本当はこれだけ金利が低い時に、10年もの、20年もの、30年ものといった長期の国債の発行割合を高めておいたほうが将来の金利負担を安定的に減少させることができるのです。しかし、国債の大量の消化がなかなか難しいのでどうしても短期国債が増えてきちゃっている。日銀が大量に日本国債を購入しているのに短期の国債の割合が高い。本当は有事の対応力を増やす意味でも、財政の対応力を増やすようなことを考えていかなきゃいけないと思ってはいますが。

さらに長期的に心配なのは、日本は経常収支黒字だから大丈夫と言われていますけど、黒字の中身の多くは直接投資の収益なんです。その収益は、企業が海外で再投資する割合が高いので、ドルのままで円にはならないんですね。黒字の中身は外国の株や債券を買う証券投資も多くあります。証券投資となればニューヨークで売り買いするだけだから、円の需要はさらにない。ということで、実は黒字を積み上げても必ずしも円高にならない。これに最近はいわゆる「デジタル赤字」が加わってきている。クラウドの費用などGAFAMに対する支払いが、恒常的にものすごく増えています。

2024年1月からNISAの拡充で日本から海外の株や債券を買う動きが増えていることも円安の要因になりつつある。

何が言いたいかというと、昔は円高でずっと悩んでいたわけですが、今後は円安でずっと悩み続けるというリスクがある、ということです。有事になると、ドルも必要になりますけども、財政の対応も必要になる。さっき再保険は予算で対応したと言いましたけど、国の財布も無限じゃない。増税も限界がある、最後は第二次世界大戦中のアメリカのように、みんなで国債を買ってくださいということになるかもしれません。

兼原　戦争って、そういうことですよね。

門間　アメリカともドルの融通をします、ヨーロッパとも通貨安定しましょう、そういうマルチの対応をしていかないといけない。そういう意味では経済危機って結構ありましたので、G7では比較的意思疎通はできている。

高見澤　ある意味、経済有事は何度も起こっている、ということなんですね。

門間　ええ、そうですね。

高見澤　金融の人のほうが、有事の実践経験は豊富だということは、今日話を聞いていて実感しました。だけど、安保も経済も金融も、みんな抜本的な措置は講じなかったので今の状況を招いているのも事実です。政策はわかっていても、実行の部分で乗り越えられない。今の与野党の政治状況で実施できるのか、みたいな部分は常にあります。

高田　円が強いということが本当に大事なんですよね。自分は石油行政に長く携わっていましたが、備蓄政策を考える時も世界全体でまずどれだけ原油がショートするかという設定から始まるんですが、実際の国別の石油削減は各国の消費量の比例配分になんかならないんですよね。金持ちの国はずっと買い続けられて、貧乏国は手に入らなくなる。

ですので強い円はそのままエネルギーセキュリティになるのです。

実際、この話を紹介することは普段あんまりないのですけど、自分は、山一証券の金融ショックがあった90年代後半に、石油元売りの方々が原油調達に苦労されている事態に直面しました。ほとんど第三次オイルショックになりかけていたとも言えるほどでした。石油元売りが原油を調達する際に、日本の都銀のL／C（信用状）では受け付けないって産油国に言われてしまったのですね。外資系の金融にL／Cの発行を頼むのですが全ての石油元売り分のL／C発行は難しい。最後、日本開発銀行から特例業務としてL／Cを出せることにして、そこで原油を買い続けることができたのです。

日本の金融機関が信用を失った時、売ってくれる産油国がなくなりそうだった。信用力のある強い円は経済の血液であると同時に、国力であり、安全保障そのものなのです。

人民元決済が広まらない理由

高見澤　デジタル人民元が、今の金融とか為替に与える影響というのはどういうふうに考えていったらいいんですか。日本としては非常にやりにくい状況が増えていくのか、むしろチャンスになる可能性もあるのか。

門間　デジタル人民元は基本的には現金の代替ですが、デジタルなので仕組み方次第では国内や国境をこえて流通がすごくしやすい可能性がある。ただ、現時点ではデジタル人民元は中国国内で、アリペイとかと比べると全然人気がなくて、ほとんど使われていない。ドルの代替通貨になるかどうかという観点からいうと、そういう柔軟性のあるツールが出てくるのは中国にとってはやっぱり有利で、経済制裁や金融制裁で対抗しようと考える立場の国からすると、よりコントロールしづらくなるんだろうと思います。

兼原　プーチンがウクライナ侵略に踏み切った後、最初にロシアのSWIFTからの排除をやりましたよね。SWIFTは別にアメリカの組織じゃなくて、単にブリュッセルに本拠を置く決済を円滑化するためのコンピュータの仕組みに過ぎない。ただ、そこから排除されるとドルの世界に入ってこられなくなる。世界の決済は今でも6～7割はドル、3割ぐらいがユーロで、残り1割の半分が円です。元はまだ、ほとんどない。

ドル圏から弾かれるとユーロ圏も付き合うので、そうすると制裁対象国は、国際貿易の9割の決済ができなくなる。中国のSWIFT除外ってあり得るんですかね。

門間　それはあり得るでしょうね。

兼原　やったら何が起きるんですか。

門間　中国が一時期、人民元の国際化を一生懸命やっていたのは、Banco Delta Asia で北朝鮮の決済をアメリカが止めた一件（2007年）以来ですよね。決済のお金はドルに頼っていて、それは実際にはニューヨークで行われるわけです。全ての中国の貿易決済がニューヨークでやられていることに危機感があったので、貿易の決済を人民元でなるべくやりたいということになった。

人民元での決済がなぜ広がらないかというと、やっぱりお金は便利なところに集まるのが自然ですから。ドルで持っていれば何かあった時にすぐ使えますし、金利もつくし、自由に引き出せる。人民元は、何かあったら引き出せないリスクがある。

高田　ロシアはSWIFTから締め出されましたが、今ロシアと中国の間はきっと元建てか何かで取引しているんでしょう。とすると、結局中国に売りたい、中国から買いたいというところはSWIFTの外側で決済して、代替されていっているのかもしれません。

高見澤　SWIFTからの中国排除はさすがにできない、という議論を聞いたことがありますが、実際にもしそういうことになったらどうなるのか。その場合のシミュレーシヨンとか、統計的な推計値を出してみるとか、財務省はやっているんですか。

門間　それはやっていないと思います。ただ中国の貿易相手国を見ると、ほとんどドル決済の国々ですよね。西側の経済圏と本当にディリンクしたら、中国経済はやっていけない。経済の相互依存性があるので、やったら相当な影響がありますし、逆にそれがあるから安定が保たれているとも言えます。中国がロシアに対し武器供与に消極的なのは、西側の制裁を受け西側とのドルでの貿易決済ができなくなると中国経済にとって大きなリスクとなることも考慮しているのだと思います。

兼原　西側の最後の武器は、そこかもしれないですね。経済的な核兵器です。ホタテ貝を買わないとか、ちまちました中国の嫌がらせは止まないですが。

高田　ノルドストリームだって、経済の相互依存性によってロシアとの関係が安定するだろうと思ったから開通したわけですが、結局は抑止にならなかった。

兼原　指導者が戦争をやろうと考えたら、経済的な考慮は二の次になってしまいます。プーチンがいい例ですが、習近平も「1年で台湾は片付けられる」と考えたりしたら、少々の経済的な痛みは我慢しようと言って、台湾侵略を始めてしまう可能性がある。

高田　そしてＳＷＩＦＴを切ったら、中国から資金回収している人たちも痛みを伴うわけですよね。西側でも、それをやられたら困るという人がたくさん出てくる。

兼原　だから問題は、返り血の浴び方ですよね。ロシアがウクライナで戦争を始めて経済的に困った人は日本にもいっぱいいたと思いますよ。水産業者でお金の回収ができなくなった人とか。その場合はＳＷＩＦＴを使わずにルーブルなり円なりで個別に回収するしかないですよね。中国経済は、ロシア経済の10倍以上の大きさがある。西側が浴びる返り血は、ロシアの比ではありません。

私、今一つＳＷＩＦＴとドル決済の連関を理解していないんですが、ＳＷＩＦＴを介して円で元のものを買うと、1回ドルを介して決済されて、そのコンピュータ決済の中枢がブリュッセルにあるわけですよね。ただし、実際のドルの売買は、全てニューヨークの銀行経由ですよね。ブリュッセルのＳＷＩＦＴとニューヨークでのドル為替売買はどういう関係になっているんですか。

門間　ＳＷＩＦＴって、たぶん指示書みたいなことでしょうね。その指示書に従って、実際の銀行口座のやり取りはニューヨークで行われる。

兼原　そういうことなんですね。それで、誰が米国の科した制裁破りを監視しているかと言えば、泣く子も黙るＯＦＡＣ（米国財務省外国資産管理室）で、例えば国防授権法で制裁対象になったイランとの取引があると裁定されると制裁が発動され、ＳＷＩＦＴから排除され、ニューヨークのドル為替売買ができなくなるというわけですか。

門間　そうですね。ですから中東の○○銀行で変な取引があるのじゃないか、と日本の当局にも問い合わせが来るわけです。

兼原　なるほど。私が覚えているのは、トランプ政権の時ですが、イランの核問題に対する最終合意（ＪＣＰＯＡ）が無効になって、「イランとの石油取引を全部切れ」とアメリカに言われたことです。石油業界がパニックになり、経産省がイラン石油に特化した富士石油によるイラン原油輸入だけは勘弁してくれと言ってきて、それでアメリカとガチャガチャやりましたが、結局認められませんでした。

この時は、石油業界の後ろにいるメガバンクの腰が退けていた。ＯＦＡＣの制裁は銀行が先に怖がるんですよ。ドル圏からの追放は、銀行にとって死刑宣告と同じです。政府としてもメガバンクは潰せないので、石油業界に対して、イラン産の原油はあきらめてくださいと言わざるを得なかった。

メガバンクの過剰なリスク回避行動

門間　授権法によるイラン制裁の時、期限の1カ月以上も前に3メガみんなが怖がって、イラン向けの輸出信用状は出しませんということになってしまった。仕方ないので私、当時の国際局長と一緒に3メガを回って、「とにかく期限まであと1カ月あるので、財務省が米国と交渉してまとめてきますから輸出信用状を出してください。期限まで1カ月以上あるのに今から出さないなんてやめてください」と、お願いして歩きました。

メガバンクの頭取が何をいちばん怖がっているかというと、そういうコンプライアンスリスク関係なんです。モラルとか、そういうところを批判されるとクビが飛びやすい。だから銀行の内部監査部門がすごく強い。事業部は金を出したいんですが、少しでもリスクがあったら監査部門が反対する。頭取に何かあったら大変ですから、と。

髙見澤　今の話は銀行の例ですけど、企業のトップがリスクアバース（リスク回避）になっているというのは、どの産業でも共通していることではないですかね。それが有事の日本の体力を弱めているというか。

門間　逆に言うと、ドル決済がいかに銀行にとって死活問題か、ということですよね。

アメリカ財務省のＯＦＡＣ担当というのは、財務省の他の部署とは全然違うんですよ。完全に独立している。カネの流れを彼らに止められたら影響が大きいから、こちらも必死に説明するわけです。その時はやっぱり、髙見澤さんがおっしゃったようにオール・オア・ナッシングじゃないんですよ。解釈の余地があって、説明がちゃんとつくのであれば、すぐに制裁で止めるということにはならない。「じゃあこの件は、日本は大丈夫です」と言って貰えます。そこが面白い。

髙見澤　なるほどね。でも、それにはメガバンクが協力してくれないと実効性が伴わないですよね。

門間　もちろん。ですからその時は、やっぱり役人も腹括って組織を背負って、米国に対しても日本の金融界に対しても説得するしかないです。

独裁者の意思は経済では止められない

兼原　対中貿易って40兆〜50兆円はありますよね。中国をドルから締め出すとなったら、経済界からものすごい悲鳴が出るでしょうね。

門間　日本と中国で、人民元と円の直接決済みたいなことを一時期やろうとしていたんです。直接やると安くなると思うかも知れませんが、流動性が少ないから取引マージンも高くなって、結局ドルに換えた方が安くて済むということで、広まらなかった。

兼原　やっぱりドルの力って強いわけですね。でも、エスカレーションが進んで、最後にアメリカが「ＳＷＩＦＴから外すぞ」と習近平に言ったら、台湾有事は止まりますかね？

髙見澤　米中関係で私が若干怖いなと思うのは、パーセプション（認識）にギャップがあるように思えることです。例えば、今の日本はアメリカとの関係でだいたいこんなことを考えている、という全体的な相場観を我々は持っている。すくなくとも、それが相場観だと思っているものがある。けれど、中国とかアメリカは、そういう標準的な見方に割と懐疑的になる傾向がある、と私は思っています。なぜかというと、彼らは両極端の意見をよく見ているからです。「そんな話、一体どこにあるんだ？」と聞いてみると、「ほら、ここにあるじゃないか」と、集会での発言やどっかのミニコミ紙を出してくる。当時、一瞬すごいなと思ったりしましたが、極端な意見の部分に結構反応している。

例えば米中首脳会談があるとして、その準備段階で会談を支えるインテリジェンス機関は極論の分析にものすごくエネルギーを割く。そうすると、そこに焦点が当たりすぎて、その極論こそが実は現実かもしれないというある種の猜疑心のスパイラルみたいなものが生まれてくる危険があると思うんですよ。普通の国はそこまで体力がないから、大体目先のことを見て、あとはちょっと細かい少数意見はそれなりに集めるけれども、大体軸はぶれない。けれどアメリカと中国はいろんな情報をモニターしているから、目に映る情報の幅が広いがゆえに正しい判断ができない可能性が出てくるんじゃないか。

この感覚は私が昔、研究業務をやっていた時のものなので今は違うのかもしれませんが、当時の記憶としてそこをすごく意識していた気がします。これが万全を期すことに繋がればいいんですが、逆にエスカレーションを招くこともあるのではないかと。

高田　兼原さんがおっしゃったように、結局「俺は戦争する」という人がいると、経済では止まらないでしょう。でも経済の現場ではもう通貨もサプライチェーンも深く相互依存になっている。どうしたら戦争を止められますかね。

兼原　だから台湾有事は、始めさせないことが肝心です。

最近は統合抑止って言いますけど、第一に外交で仲間をいっぱい作って主流派を構成する。ヨーロッパにはNATO、EUがありますが、アジアには何もない。だからアジアではFOIPの枠で東南アジアとインドを巻き込む。QUADもAUKUSも、日米韓もNATOも大切にする。中国には、「お前の連れはロシアだけだぞ」という状況を作って、みんなで揃って「戦争するな」と言い続ける。この関連で、最近、グローバルサウスが台頭して、植民地支配していた先進工業国に対する反発が出やすくなっており、中国が盛んにそれを利用しています。今日の議題からは外れますが、自由主義社会をどうやってグローバルサウスに広げるか、真剣に考えなくてはなりません。それは唯一、非欧米の先進工業国家である日本の仕事だと思います。

外交で仲間を増やすことは大切ですが、戦争になった時に本当に助けに来る国は限られています。軍事的に絶対に負けない体制を同盟国、同志国と組み上げておく。主力は日米同盟ですが、そこに台湾、フィリピン、イギリス、オーストラリアなどのアメリカの同盟国・同志国が加わる。場合によっては韓国。たぶん、このチームが立ち上がれば中国は勝てないでしょう。いくら中国でも、西側の主力の国々を相手にして、200キロの台湾海峡を30万ぐらいの軍隊に横断させて、2300万人が暮らす台湾島全体を制圧するのは無理です。

台湾有事になれば多分、中国は最後は負けるでしょうが、日米同盟の側も相当痛い目に遭う。だから、グレーゾーンの経済制裁の段階で徹底的に痛い目に遭わせて、中国の戦争の意思を削ぐ。戦争なんて決して互いのためにならないから現状を維持して、これからは協力すべきは協力して平和にやりましょう、というところに持っていくんです。日本がずっと言ってきた戦略的互恵関係とはそういうことです。

上り坂の国は自信過剰になっており、他国によって行動を制約されることを非常に嫌がります。戦前の日本の青年将校たちのロンドン軍縮会議への反発と一緒ですよ。だから中国には、「今、戦争なんて絶対にできないよ」と思わせないといけない。中国もすでに生産年齢人口は減少に転じていますから、あと10年もしたら国力が落ちたことにはっきりと気付くと思いますが。

高見澤　能力とチャンスという感じだと思うんですよね。PLA（人民解放軍）の能力はどんどん上がっていて、軍民融合もあって総合的な戦闘能力の向上は続いている。

一方、チャンスということで言うと、何か国内的な要因があって外に出てくる、ということはあるかもしれない。ガザの紛争でも、紛争前はネタニヤフはイスラエル国内で結構追い詰められていて、「こんなひどいリーダーは願い下げだ」みたいになっているところでハマスのテロがあったので、攻撃がより激しくなっているという点はあると思います。中国もやっぱり危機の時には一歩踏み込んでくるという感じがあります。今までもそういう実績があるので、そこを何とか防がなきゃいけない。そうすると、能力の部分は我々もキャッチアップしていかないといけない。お金がかかっても。

兼原　中国は孫子の国ですから、こちらの虚を衝《つ》いてきます。弱いと侮って攻めてきますが、こっちが強いと来ない。だから、きちんと構えて隙を見せないことが大切です。

門間　中長期的に見れば、中国の成長率は下がってくる。IMFの中国の担当者も今後10年ぐらいは中国の経済成長は3%台、その先は2%台と見ています。過去の世界経済の成長の平均は約3・5%ですので、長期的にはそれよりも低くなる可能性があります。財政赤字も、昔はGDPの40%ぐらいで健全な国だと思われていましたが、IMFの推計だと現在はGDPの120%ぐらい。これは地方の融資平台とか、事実上の政府保証が付いている案件をひっくるめての広義の財政赤字残高のGDP比の推計です。

中国もこれから少子高齢化が急速に進んでいきますから、日本の財政と同じような悩みを抱えることになる。すなわち高齢化に伴う財政負担の急激な増加があり得る。だからこそ中国政府も、不動産セクターを中心として経済の困難が報道されているにもかかわらず、リーマンショックの時のような財政出動を伴う景気対策に極めて慎重なのだと思います。政府だけでなく民間も、将来に悲観的になっている。外資は引き始めているし、投資も少ないし、貯蓄率も上がっている。あまり表に出ていませんけど、事実上の資本コントロールもやっているようです。お金持ちが海外にお金を持ち出そうとしてもなかなか許可しない、というような形で。

２０１５年にドルの上昇時にそれまでドルとリンクしていた人民元の為替相場の設定メカニズムを変えたとたん、人民元暴落、中国の株式市場暴落が起きました（いわゆる人民元ショック）。この時、中国は外貨準備を活用してドル売り人民元買い介入をしましたが、人民元の価格低下は続き、資本も海外に流出しました。２０１６年当時、これに対処するため、窓口で海外への送金の許可を遅らせたり、許可に要する時間を長くとったり、場合によっては一定金額以上の送金を許可しないなどの資本コントロールを行いました。現在も資本の流出が懸念されており、同じようなことはもう既に始めているんじゃないかと指摘する者もいます。

兼原　あと20年、中国が「俺もピークアウトしたな」って自分で感じるぐらいまでこっちは頑張る、ということですね。

高見澤　その点で最近気になっているのが、習近平の世界観の問題です。ウクライナ侵攻でプーチンのユーラシア帝国としてのロシアみたいな世界観が注目されましたが、いろんなところで話を聞いていると、習近平はどうやら日清戦争の頃を意識しているらしい。彼の頭の中では、日清戦争でやられたというところまで遡っていて、「中華民族の夢」とは日清戦争の前の状態に戻すことである、と。

兼原　実際は、アヘン戦争からずっと負けっぱなしなんですけどね。習近平の国際政治観は19世紀の弱肉強食、戦争観は総力戦、消耗戦だと思います。私たちのような自由主義的国際秩序への信頼など欠片《かけら》もないでしょうね。

高見澤　専門家に聞いても、それが異説だという感じではない。台湾は本当に欲しいというのが習近平の考え方じゃないのか、尖閣と南西諸島も含めて。いったんタガが外れちゃうと非常に危ない。だから本当にそういう気にさせないようにしておかないと。

内閣官房に各省のリエゾンを

兼原　最後に一つ、質問してもいいですか？　アメリカの場合は、制裁のエスカレーシヨン・ラダーとも言うべきものが備わっています。対人制裁なら、例えば中国共産党幹部個人を対象にしてクレジットカードを使えなくしたりして、その対象者の数も危機の程度に応じて増やす。レベルアップしてエクスポートコントロールに進むなら、貿易規制品目を徐々に増やしていく。今なら最先端半導体は出さなくするし、これから危機が深まれば輸出規制対象をさらに拡大する。インポートコントロールでも同じで、中国から徐々にものを入れさせなくする。

貿易だけではなく、投資や為替の規制もある。SWIFTからの排除もそうですし、特定の国を対象にして安全保障を理由に関税を上げたりもする。あるいはニューヨーク証券市場で上場させない。

アメリカには、こうしたツール・ボックスがあって、制裁に松竹梅のレベルがある。「全部を松クラスの制裁にしたらかなり激しいことになるから、次回は梅3、竹2でいくか」なんて議論ができる。日本は外為法が経済制裁の基本ツールですが、こうしたツール・キットをどれくらい持っているんですかね？　外為法では、貿易管理は経産省所管、投資は財務省所管ですが、特定の個人を外為法上の規制対象にすることとかできるんですか？　兼原のクレジットカードは使えない、みたいな形で。よくアメリカが象徴的にこういう個人制裁をかけていますよね。

高田 外為法で米国のエンティティリスト（取引制限リスト）に載った法人、団体を規制したり、特定個人を制裁対象にすることは可能です。

門間 対ロ制裁の実績リストを見ると、できないことはあんまりないんじゃないですか。何らかの形で実際にはやっていると思います。

兼原 エクスポートコントロールは、外為法で最先端半導体の関連分野のものは出さないとやってますよね。インポートコントロールは、北朝鮮を対象にした全面禁輸がありますが、これは特別ということです。中国がよくやっている、台湾のパイナップルは買わない、オーストラリアのワインは買わない、日本のホタテは買わないというやり方は、日本はできますか？

門間 有事の資本規制はできますけど、平時の貿易自体の規制ってあまり聞いたことないですね。

高田 日本は自由貿易を基本としているので平時の輸入規制は一部の農水産品や、ワシントン条約に基づく特定の動物保護程度ですね。

兼原 平時は当然、自由貿易原則優先なんですけどね。有事の際の安全保障を理由とした貿易への規制はＷＴＯの例外になります。制裁には、貿易規制、金融制裁、いくつか種類がありますが、問題は経済制裁目的の貿易規制を実施する国内法の根拠があるかないかです。今の日本には、そういう経済制裁基本法のような国内法はないですよね。例えば中国資本の対日投資規制とか、中国企業の東証上場禁止措置みたいなことが。

門間　できないでしょうね。日本の証券取引所の上場基準は公表していて、その基準に合わなくなったら上場廃止という原則がすべての企業に当てはまる。規制の運用の余地は、ほぼないです。そもそも東京証券取引所に中国企業はあんまり上場してないんじゃないですか。東証はむしろ上場して欲しいと思っていると思いますが。

ただニューヨーク市場でもそうですが、検査は一つの武器になります。「中国の企業に米国の検査を受け付けないならニューヨーク市場で株を買っている米国の投資家の保護ができない」という形で。

兼原　特定の目的で、特定国に対して関税率を上げることはできますか？

高田　ＷＴＯルールに基づく自由貿易の立場の日本は、平時に特定国の特定物資に不当廉売関税措置を講じることはありますが、安全保障目的ではやってきてないですよね。できるかできないかは、ＷＴＯで認める安全保障例外との関係次第ではないですか。

兼原　最恵国待遇を外すのは、戦争が始まっちゃえばできますよね。

門間　あるいは戦争抑止のために。

兼原　戦争抑止のためだと言ってやるということですか。なるほど面白い。ちょっとこの辺は一度整理してみる必要がありますね。やはり制裁基本法制定の検討も始めた方がいいかもしれません。国家安全保障局経済班はもちろん頑張ってやっていますけれども、戦時非常経済委員会みたいなシミュレーションをやらないといけませんね。

髙見澤　そうですね。私は最近いろんなところで言っているんですが、日米の共同図上演習のキーンエッジとか、陸上自衛隊と米陸軍の共同演習のヤマサクラなどに、霞が関の各省の人をオブザーバーに入れて、各国のリエゾンにも来て貰えばいい。在日米軍もそのような考えになってきているようですが、私もそうしたらいいと思います。

　私が非常に気になっているのは、制度全体として、金融の分かっている人とか、食料安全保障の視点を持っている人たちが、安保の政策現場にいないことです。少なくとも内閣官房には金融とか食料関係のリエゾンを置く。防衛省のほうにもいるのかもしれません。あるいは逆に、防衛省でニーズを分かっている人を各省にリエゾンで出すという形もありえます。そういうシミュレーションというか、議論は必要でしょう。

兼原　多分、まず必要になることは、内閣官房の主力である内政・外政副長官補室と、国家安全保障局、事態対処・危機管理室（通称「事態室」）、内閣情報調査室との連携ですね。政府全体の取りまとめは、官界最高峰の事務の副長官の責任です。彼が、全霞が関と市ヶ谷（防衛省・自衛隊）を従えて、閣僚間を調整する内閣官房長官を補佐することになる。官界では、本当の国家非常時には、国家安全保障局や、事態室ではなく、事務の副長官の下に全員集まれとなっちゃうわけですよ。総理官邸の7奉行ですよね。官界トップの内閣官房副長官の下に3名の副長官補がいて、横に内閣危機管理監と内閣情報官と国家安全保障局長がいる。彼ら7人が非常時の国家の命運を背負うことになる。

台湾有事のような外事関係の国家非常事態になると、内政と外政の優先順位の調整が必要になりますから、まず7奉行が副長官の下で基本方針を確認して、そのあと国家安全保障会議が開催されます。国家安全保障会議には、総理、官房長官、外相、防衛相が集まります。最近は、財務相が同席されています。官界からは、外務省総合外交政策局長、防衛省防衛政策局長、統幕長が呼ばれます。

「でかい話になるぞ」という緊張感が、政府・自衛隊全体に伝わります。内閣危機管理監が、実力部隊である自衛隊、警察、消防、海上保安庁、国交省防災チームの統括を始める。危機が大きくなると、財政出動や、地方政府との調整が必要になります。そうなると事務の副長官の右腕として全省庁を統括している内政補に話が行きます。何千億円の補正予算を至急編成してくれとか、そのための各省庁の施策の取りまとめをやってくれという話になります。

こうやって全省庁の力を出させるのが総理官邸の仕事です。しかし、今でこそ経済安保論が花盛りですが、ちょっと前までは経済安保という言葉さえなかった。55年体制下の厳しい安保論争を忌避して、経済官庁は安全保障に関心を示さなかったし、外務省、防衛省も積極的に経済官庁を巻き込もうとはしなかった。だから、特に防衛省・自衛隊と経済官庁の関係は希薄でした。しかし、それでは政軍関係が正常に機能しません。やはり、この政府のあり方は根本的におかしい。

経済官庁は、安全保障補佐官として、防衛官僚や、自衛隊員を受け入れるべきです。そういう仕組みを作らないと、いざというときに政府が動かない。

髙見澤　内閣官房のNSS（国家安全保障局）か事態室なのか分からないけど、そこには食料安保と兵站の分かるリエゾンが欲しい。防衛省や統合司令部にも欲しい。何かあった時に、糧食の確保がすぐできる、弾が必要になったらすぐに手配してくれる、みたいな人が。シームレスに話ができるようなリエゾンを相互に派遣し合っているような状態が理想ですが。

兼原　戦時には多分、次官会議を「戦時次官会議」に衣替えして、そこに官邸の７奉行が揃うといいですね。今の次官会議って、内閣官房副長官と内政補しか出ないですから。

髙見澤　そうですね。

兼原　そこに安保系の関係者が全部揃うと、「食料安保ですから、農水次官、これとこれをお願いします」と言えるわけです。総理や官房長官の命令は「一刻も早く何とかしろ」という抽象的なもので、具体的なやり方は通常、官僚に任せられますから、有事対応で突然山のように出てくる政府業務を各省庁次官に割り振らねばなりません。そうしないと、縦割りのきつい官界は動けない。そのためには、予め仕事の割り振りがある程度出来上がっている必要があります。常日頃からの防衛省・自衛隊と経済関係省庁との人事交流や、自衛隊のリエゾンが必要な所以《ゆえん》です。

髙見澤　あと民間の人も大事です。３・11の時でよく覚えているのは、「こういうのはどこにあるんだ」みたいな話が飛び交っていた。原発事故の時に大キリン（巨大なコンクリートポンプ車の愛称）で水を入れましたが、あの大キリンを知っていた人というのは、立ち上がりの時点では政府にあまりいなかった。その人だけではないと思いますが、NSCにいた異能の女性官僚がそういう発想をしたと聞いています。

経済官庁も自衛隊と交流を

兼原　防衛出動がかかったら、自衛隊はすぐに出ていきますが、その時に各省が何をするかはその時点では分からない。特に、防衛出動になると武力攻撃事態等の事態認定をして、その時に各省庁は何をせねばならないのかを「対処基本方針」に書いて、防衛出動下令と共に閣議決定して、国会の了承を求めます。しかし、平和主義の行き過ぎで、この「対処基本方針」のプロトタイプを練習でさえ書いたことがない。政府は堂々と「対処基本方針」作成の練習をするべきです。そして、各省の仕事を書き出して、防衛出動がかかったらすぐにこれをやると書く。それが分かったら、みんな頭の整理ができると思いますね。

髙見澤　その部分はやっていると思いますが、危機管理官庁に留まってしまっている可能性もあります。それじゃ、だめなんですよね。霞が関の省庁だけじゃなくて、NTT

とか指定公共機関などインフラ関係も含めて頭の中で準備しておかないと。

兼原　いまは「機密が漏れるから」というのを口実にしてやらないですけど、これは仮想事態のシミュレーションだと割り切ってやっちゃえばいいんですよ。本当は、「戦争の準備をしている」と野党や左派新聞に絡まれるのが怖い。政府としては、だらしのない話です。本当の意味で国民の安全のことを考えていない。

今でも原発事故と震災については毎年、閣僚レベルの対応シミュレーションをやっていますが、閣僚レベルで有事対応のシミュレーションもやらなきゃいけません。ずっとそう言っているのですが、なかなか動かない。

高見澤　もう一つ大事なのは、制度を知っているかどうかという点です。北朝鮮の工作船が来た時に「海警行動を出しましょう」ということになったのは、海上における警備行動はどういう制度で、どういう時に自衛隊を出してもいいかという知識が閣僚にあったからでしょう。一方で、原発事故の時にそれがあったかというと、多分閣僚の間ではあんまりなかったと思う。だから最低限それはやらなきゃいけない。

自衛隊の演習でももっと大きく仕掛けて、そこに各省現役の人もＯＢも来てもらって、経験と知識の共有をはかるような感じでやったらいいんじゃないですかね。

兼原　自衛隊の演習もずいぶん見せてもらいましたが、私がこれまで一番違和感があったのは、朝霞の陸上総隊司令部で行われた首都圏大地震に際しての自衛隊の統合机上演習を見せてもらった時です。現場に自衛隊だけしかいないことに、強いショックを覚えました。警察もいなければ、国交省もいないし、総務省もいない。閣僚どころか、局長も、課長もいない。誰もいないわけですよ。政府の体を為していない。

髙見澤　地方では防災や治安関係組織の繋がりがあるから、それは結構心強いんだけど。でも東京ではできていない。

兼原　もうそろそろ各省庁の危機管理担当の局長は、自衛隊の主要演習に必ず来いということにしなければいけないと思います。

経済官庁の人たちは、自衛官という人たちのことを知らないわけです。自衛官は戦闘員です。いざとなったら命をかけて戦う人たちのことを、もうちょっと知っていて欲しい。私のような安保畑の人間は、彼らと日頃から付き合っていますし、「この人たち、一朝、事があれば命をかけるんだな」と感じます。私と同期の元陸幕長は、「朝起きたら、毎朝、自分の死にざまを考える」と言っていました。慄然として聞きました。あの戦闘員のセンスを経済官庁の人たちに、もうちょっとシェアして欲しいです。

髙見澤　私は元防衛官僚ですが、一番印象に残っているのは最精鋭部隊の隊員といろいろ話した時のことです。私が防衛研究所の所長だった時の研修生でその後部隊の隊長になった人がいて、「所長、一度来ませんか」と誘われて行ってみたんです。話してみて面白かったのは、彼らがリベラルアーツを非常に重視していたことです。幅広い知識、特に音楽、歴史、美術などです。そういうものがないと最精鋭部隊ではやっていられませんと言うんですよ。「防研でいろんな話を聞けたのはとても良かったです」と。自分を鍛えれば鍛えるほど、そこに帰ってくる。そういう人たちが「頑張ります」と言っている。そういう感覚って、やはり実地で接しないとなかなか分からないと思うんですよ。

門間　私も3年半も防衛省で一緒に働かせていただきましたけど、こんな大事なことをごく限られた人たちでやっているのかと愕然としました。だから財務省も、人事交流だけじゃなくて初任者研修の時に一緒に研修するとか、接する機会を増やすべきだなと思いました。安全保障ってどうしても外務省の一部と防衛省に限られちゃいますから、経済関係の役人は全くそれを知らずに終わるわけですよ。そうすると何か起きた時にどう協力できるか想像力が働かないんですよね。

高田　確かに安全保障部局と経済官庁の間には距離があるかもしれません。それでも経産省の貿易管理部には防衛省・自衛隊からの出向者もいますし、国益に直結する大事な仕事ということで経産省では人気部署になっていますね。

髙見澤　おっしゃる通りです。ただ金融の関係の制裁と輸出管理の話というのは密接に関係していますが、情報も行政面での対応も分離されているようなところがまだまだありますよね。

高田　石油・天然ガスや原子力などのエネルギー安全保障、あるいは食料安全保障、さらには海運・港湾・航空など、もっと経済官庁と安全保障部局が連携を密にしたら良いところは多いと思います。宇宙政策分野でも亡くなられた葛西敬之宇宙政策委員長や兼原さんのお陰で、文科省・ＪＡＸＡの安全保障への距離感が昔と比べて大分縮んでいます。

兼原　政府が一体となって安全保障に取り組む体制が必要ですよね。第二次世界大戦では、それが出来なくて、政軍関係が破綻し、陸海軍が各々勝手に動いて、みじめな敗北を喫したわけですから。あれから80年も経って、同じ過ちを繰り返すことは許されません。

兼原信克　同志社大学特別客員教授、笹川平和財団常務理事。元国家安全保障局次長、内閣官房副長官補。著書・共著に『歴史の教訓』『自衛隊最高幹部が語る令和の国防』など。

髙見澤將林　東京大学公共政策大学院客員教授。元国家安全保障局次長、内閣官房副長官補、内閣サイバーセキュリティセンター長、ジュネーブ軍縮会議日本政府代表部大使。

Ⓢ新潮新書

1047

国家《こっか》の総力《そうりょく》

編著者　兼原信克《かねはらのぶかつ》　髙見澤將林《たかみざわのぶしげ》

2024年 6月20日　発行

発行者　佐藤隆信

発行所　株式会社 新潮社

〒162-8711　東京都新宿区矢来町 71 番地
編集部 (03)3266-5430　読者係 (03)3266-5111
https//www.shinchosha.co.jp

装幀　新潮社装幀室

組版　新潮社デジタル編集支援室

印刷所　株式会社光邦

製本所　株式会社大進堂

ISBN978-4-10-611047-4 C0231

価格はカバーに表示してあります。

Ⓢ新潮新書

901
自衛隊最高幹部が語る令和の国防
岩田清文　武居智久
尾上定正　兼原信克

台湾有事は現実の懸念であり、尖閣諸島や沖縄も戦場になるかも知れない――。陸海空の自衛隊から「平成の名将」が集結、軍人の常識で語り尽くした「今そこにある危機」。

951
自衛隊最高幹部が語る台湾有事
岩田清文　武居智久
尾上定正　兼原信克

自衛隊の元最高幹部たちが、有事の形をリアルにシミュレーション。政府は、自衛隊は、そして国民は、どのような決断を迫られるのか。「戦争に直面する日本」の課題をあぶり出す。

945
核兵器について、本音で話そう
太田昌克　兼原信克
高見澤將林　番匠幸一郎

日本を射程に収める核ミサイルは中朝露で計数千発。核に覆われた東アジアの現実に即した国家戦略を構想せよ！　核政策に深くコミットしてきた4人の専門家によるタブーなき論議。

989
官邸官僚が本音で語る権力の使い方
兼原信克　佐々木豊成
曽　我　豪　高見澤將林

巨大タンカーのごとき日本政府を動かすには「コツ」がいる。歴代最長の安倍政権で内政・外政・危機管理の各実務トップを務めた官邸官僚が参集し、「官邸のトリセツ」を公開する。

862
歴史の教訓
「失敗の本質」と国家戦略
兼原信克

なぜ戦前の日本は、大きな過ちを犯したのか。「官邸外交」の理論的主柱として知られた元外交官が、近代日本の来歴を独自の視点で振り返り、これからの国家戦略の全貌を示す。

新潮新書

788
決定版　日中戦争
波多野澄雄　戸部良一　松元崇　庄司潤一郎　川島真

誰も長期化を予想せず「なんとなく」始まった戦争が、なぜ「ずるずると」日本を泥沼に引き込んでしまったのか――。現代最高の歴史家たちが最新の知見に基づいて記した決定版。

913
決定版　大東亜戦争（上）
波多野澄雄　赤木完爾　川島真　戸部良一　松元崇

正しく「大東亜戦争」と呼称せよ――。当代最高の歴史家たちが集結、「あの戦争」の全貌を描き出す。二分冊の上巻では開戦後の戦略、米英ソ中など敵国の動向、戦時下の国民生活に迫る。

914
決定版　大東亜戦争（下）
戸部良一　赤木完爾　庄司潤一郎　川島真　波多野澄雄　兼原信克

日増しに敗色が濃くなる中での戦争指導、終戦とその後の講和体制構築、総力戦の「遺産」と「歴史の教訓」までを詳述。当代最高の歴史家による「あの戦争」の研究、二分冊の下巻。

752
イスラム教の論理
飯山陽

コーランの教えに従えば、日本人は殺すべき敵であり、「イスラム国」は正しいイスラム教徒である――。気鋭のイスラム思想研究者が、西側の倫理とはかけ離れたその本質を描き出す。

785
米韓同盟消滅
鈴置高史

北朝鮮に宥和的な韓国の本音は「南北共同の核保有」に他ならない。米韓同盟は消滅し、韓国はやがて「中国の属国」になる――。朝鮮半島「先読みのプロ」が描く冷徹な現実。

Ⓢ新潮新書

659
いい子に育てると犯罪者になります
岡本茂樹

親の言うことをよく聞く「いい子」は危ない。自分の感情を表に出さず、親の期待する役割を演じ続け、無理を重ねているからだ――。矯正教育の知見で「子育ての常識」をひっくり返す。

822
憲法学の病
篠田英朗

「憲法学通説」の正体は、法的根拠のない反米イデオロギーだ！　東大法学部を頂点とする「ガラパゴス憲法学」の病理を、平和構築を専門とする国際政治学者が徹底解剖する。

1026
日本一の農業県はどこか
農業の通信簿
山口亮子

県別の農業産出額を農業関連予算で割って「コスパ」を算出しランキング化。浮かび上がった最強農業県は意外なところだった――。さまざまな指標から読み解く各県農業の真の実力。

1034
教養としてのイギリス貴族入門
君塚直隆

幾度もの危機に瀕してなお大英帝国を支え続ける貴族たちのたくましさは、どこから生まれたのか。千年を超えて受け継がれるノブレス・オブリージュの本質に迫る。

1007
ウクライナのサイバー戦争
松原実穂子

もともとは「サイバー意識低い系」だったウクライナは、どのようにして大国ロシアと互角以上に戦えるまでになったのか。サイバー専門家によるリアルタイムの戦況分析。